# 最後の適当日記(仮)

高田純次

ダイヤモンド社

目次

買ってない人へ

「あなたは正しい判断をした」

# 1月

# 1月21日（土）

**遺言書**

**1　私、高田純次は所有する財産の1割を、私という人間を生み、育んでくれた愛する故郷、調布市国領の美化運動の為に寄付します。**

**残りのすべては最近出会ったスポーツジムの受付のレイナちゃんに贈与します。**

**以上**

これでいい？　あれ？　こういう感じじゃない？

いや〜、参ったよ。

70歳を越えてから、**年齢も誕生日もなくした**はずだったんだけど、戸籍上は、今日で76歳。

本欄には日記を書き上げた後の高田純次氏へのインタビューと補足情報を記載する。

来年は77歳で、喜寿だっていうんだから。

こんなにシワだらけになるまで生きる予定ではなかったんだけど、オレのモットーである、

「ただ生きる」

を日々繰り返していたら、こんな年になっちゃって。


で、16年も前になるのか。

あのときの悪夢は今も残っているんだけど、２００7年の1月、オレが還暦を迎えた日から無理矢理、日記をつけさせられたんだよ。

あの頃、タレントが日記を本にして出すのが流行り出した頃で、

「日記に一番縁遠い適当男が日記を書くってなったら、これは売れますよ」

とか怪しい連中に寄って集って焚きつけられて、仕方なく書き始めた。

日記と言いながら、メモしておいて後でまとめ書きしたり、ときにはメモさえしないで、それこそ適当なことを書いて行を埋めたりして、な

---

**無理矢理、日記をつけさせられたんだよ**

『適当日記』について、思い出はありますか?

**「表紙の天狗のお面しか覚えてないね。毎年使えるっていうのはいいよね、あ、あれは『適当手帳』か」**

んとか1年書き上げた。

まぁ、「書き上げた」っていうのもおこがましかったかな。

その日記を自分でざっと見返したときには本当にこんなの本にするのか？　とさえ思ったんだけど、世の中ってわからないよね。

これが予想外に売れちゃって。

しかも、**電子書籍元年に、電子で一番売れた本**になったらしい。


だから、その後も、毎年のようにニコニコした連中が度々現れて、

「出せば売れるんですから」

とか言いながら、オレに日記を書かせる動きは、しばらくあったんだ。

でも、こっちはもう懲り懲りだから、逃げ回っていたんだよ。そのうち、オレに日記を書かせようとしていた連中も、顔を見せなくなったから、もう少しまともな仕事を見つけたのかなと思っていたら、去年の暮れにまた現れたんだよね。

---

**書き上げた**　実際プライベートでは書かれてないですよね？

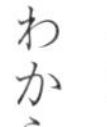

**「日記ってあんまり書かないよね。好きな子と交換日記ならできると思うんだけど。こないだそういうニュースあったよね」**

案の定、また「日記を書きませんか？　16年ぶりに」って言うんだよ。

だから「書かないし、第一、書く意味がない」って断ったんだけど、

「意味はあります。76歳の誕生日から、喜寿を迎える記念の日までを書き記すことで、**タレント高田純次の最後の足跡を後世に残すことができます**」

って。**もうオレを殺す気なんだよ。**

それでも「オレは、自分の足跡を残すようなご立派なタレントじゃないから」って頑として断ったら、「でも、終活ブームが続いていますし、タレントさんの終活本は売れますよ」って言うんだ。ふざけやがって、また、金の話だよ。

「金さえ入れば何でもやると思ったら大間違いだぞ！　馬鹿にする

---

**書く意味がない**

書く意味のある日記とは？

**「逃亡日記ならかける気がするなあ。お金拾ってそれを黙って持ち帰ってとか。もしそんなことあったらどこに隠すだろうね？　天井裏ってわけにもいかないしなあ。車のトランクもなあ。（高田さんの隠し財産はどこに隠してるんですか？）うん、まあこれ言ったらバレるから言わないけど」**

な！」って言いたいところだけど、実は、オレが、**金の話が大好きだからさ**。

心がぐらついた途端、『高田純次　適当日記終活編』って書いた企画書を出してきたんだ。

で、つい**「これ、本当に売れる？」**って確認しちゃったんだよなぁ。

そうしたら、「売れるに決まっているじゃないですか！　だって、ほら！『終活』、『日記』、『喜寿』、って、高齢化社会になった今、みんな飛びつきそうなキーワード3つもが並んでいますよ」とか言うんだよ。

その後も、散々景気のいい話を聞かされて、オレもつい欲に目がくらんで、とうとう書くことにしちゃったんだよね。

---

**『高田純次　適当日記終活編』って書いた企画書**
書籍名については、2月1日の日記参照。

**『終活』**
終活といったことを考えることはありますか？

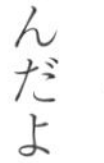

**「70過ぎたらいろいろあるんだけど、雑誌見たら「終活はいらない」って書いてたりもするんだよ。でも古いパンツと靴下は捨ててるよ」**

でも、連中が挙げていた「みんなが飛びつきそうなキーワード」に**『高田純次』が入っていなかったこと**については、未だにわだかまっているんだ。

## 1月22日（日）

今朝、鏡を見たら、76歳のジイさんが映っていたんで、驚いたよ。

もう、この歳になると、めでたくも何ともないね、誕生日なんて。なのに、昨日は、律儀にメールをくれる人が結構いてさ。こんなジジイの誕生日なんて忘れてくれていいのに、ありがたいよ。

で、オレも、

「ありがとうございます。でも、もう誕生日はなくして、年齢不詳にしています」

って、返信したら、「返信、早っ！　どうしたんですか？」っていう、驚きのメールが次々に来たよ。

きっと、愛人と、華やかに爛れた誕生日を祝っていると思われたんだろうなぁ。

あるいは、形だけでも家族が一緒に祝ってくれたり、とか。

ところが、赤の他人がこんなジジイの誕生日を忘れずに、これだけメッセージをくれているんだけど、家族は、**本当に綺麗さっぱり**、忘れてくれているんだ。

まあそれでも、覚えているのに祝ってくれないより、忘れられた方がまだマシだと、自分に言い聞かせて、昨晩は枕を濡らして1人で寝たよ。

---

**返信**
メールの返信は早いですか？

**「気がつけばすぐするよ。打つのはしょっちゅう間違えるんだ。だいたい送ってから気づくんだけど」**

## 1月23日（月）

生意気に、今日は休ませていただきました。
休みの日は何をするかっていうと、**ほぼ何もしない**ね。
ってことで、今日の日記は、こんなところで勘弁してもらおうかな。

## 1月24日（火）

今日は、これまた生意気に仕事だったんだけど、取り立てて書くことは何もないんだよ。だから、よく芸能人で、その日に食ったものを公開している人がいるじゃない？　これをそのまんまパクって、何を食ったか書いていくと、なんか日記の形になるかと思って、さっきから思い出そうとしているんだけど、まるで思い出せないのよ。

---

**休みの日**
休みの日は本当に何もされてないんですね。

**「何かしちゃったら休みじゃないからね。オレは言葉には責任を持つタイプだから」**

# オレは、何を、食ったっけ？

## 1月25日（水）

今朝、卵かけご飯を食ってるときに思い出したんだけど、昨日の朝も卵かけご飯を食ったね。でも、昨日の昼と夜に何を食ったか思い出せないんだ。

そもそも、昼と夜に、飯、食ったっけ？　腹が減らなかったから、何かを食ったんだろう。

この程度だから、**この話は延びないよね**。

---

**卵かけご飯**

卵かけご飯お好きのようですが、こだわりはありますか？

**「忘れずに醤油をかける。これだね。醤油にこだわりもないよ。黄身だけ食べるやつがいてそれは激怒したよね。ロケ先で卵かけ専用醤油とか買うけど結局普通の醤油かけてるよ。余計なことはだいたいしない。オムレツは食うけどオムそばは食わないとか。今までずっと余計なことしてきたから、余計なことはとにかくしないんだ」**

# 1月26日（木）

ここ数日、十年に一度とかの寒波が日本列島にやって来た、っていうんで、ニュースを見ると、色々なところで、交通がマヒしたり、大変そうだなあって見ていたんだけど、実際、オレも寒波の影響に見舞われて急遽、名古屋に前乗りする羽目になったよ。

今回は、前乗りで乗りきったけど、案外、天気の悪い日に限って外のロケに当たるんだ。しかも散歩のロケが。

キツいんだ、冷え込んだ日の散歩は。

そうは言っても、オレ自身が寒いのはいくらでも耐えられるんだよ。

でも、スタッフが寒がるのが気の毒で、可哀想で、オレとしては、いたたまれないから、ロケは中止して欲しいんだけど、仕事だからそういうわけにもいかなくて、オレは愚痴のひとつもこぼさずにやっているよ。

本当にスタッフが心配なんだ。

---

**ニュースを見る**

最近のニュースで気になることは？

**「増税メガネかな。一応これくらい言っておかないと」**

本当になぜか、散歩のロケに限って、天気に恵まれない。もう、雨とか、メチャクチャ寒かったり、信じられないほど暑かったり。本当にスタッフが心配なんだよね。**本当に**。

**だから中止でいいと思うのに。**

ところが、そのときはそう思うんだけど、オンエアを見ると案外爽やかそうな良い天気の中、ロケをしていたりするんだよ。

ってことは、結局、嫌なロケのことばかり記憶に残って、良い天気の日にやった、スムーズに進んだロケのことは忘れちゃうんだね。

つまり、**良いことは忘れて、悪いことばかり覚えている**、オレは、そんな人生なんだよ。

どう？　高田のくせに案外、厳しい人生でしょ？

---

**嫌なロケ**
最近のロケで大変だったことは？

**「コロナ前だからあんまり最近でもないんだけど、ノルウェーでダイヤモンドプリンセス号を見たことかな。その後横浜に来たんだよな」**

# 1月27日（金）

オレくらいの歳になるとわかるけど、とにかく最近のことは覚えていられない。

だからこそ、ボケ防止に日記を書く人がいるらしいね。

それも、この日記をつけさせられるときの口説き文句のひとつに言われたよ。

「高田さん、日記はボケ防止に良いんですよ」って。

でも、食ったものすら覚えていられないわけだから、手遅れだよなぁ。

実際、「日記はボケ防止に役に立つ」って言ったやつがニヤついていたから、あいつもどうせ内心、こんなジジイには今さら手遅れだと思ってたんだろうな。

---

**ボケ防止**

最近の記憶力はどうですか？

**「今日ここに何しに来たかも覚えてないよ。歌うんだっけ?」**

ただ、何を食ったか、覚えていないものはしょうがない。
むしろ、覚えていることじゃなくて、1ヶ月先の予言でもしようか。
多分、1ヶ月先の2月27日、オレは、朝飯に卵かけご飯を食っているよ。

## 1月28日（土）

### 「寒い朝　××コ縮まる　冬のロケ」

これは、何年か前にオレが、サラリーマン大賞を取った川柳なんだ。
今朝の寒さで、この名句を思い出したよ。
確か、この作品で100万円くらいもらったかな？
いや、NHK俳句で入選したんだっけか？
それとも朝日新聞の俳句だったかな？

---

**寒い朝　××コ縮まる**
**冬のロケ**

受賞はウソとして、自作の俳句で他にお気に入りの作品は？

**「『お嬢さん　そこのベンチで　しませんか？』だね。これはパーフェクトなんだけどオレのラジオのリスナーの投稿だったかな」**

何にしても、作者の素直な気持ちがよく現れている俳句で、賞に値するよね。

## 1月29日（日）

今年の冬は、いつまでも寒い。

しかも光熱費がやたらと上がって高いんだよ。

オレも、弱小事務所の社長だから、光熱費が上がったことくらいは聞いているよ。


でも、それ以前に、うちのかあちゃんに、光熱費のことでうるさく言われるんだ。

オレは、毎日寝るのが夜中の夜中の2時か3時頃なんだけど、

「こんな夜中までなんで起きてるの？　電気代が高いから早く寝ろ！」

**うちのかあちゃん**
奥様との最近の関係は？
**「水と軽いサラダ油くらいかな」**

って、うるさいのよ、とにかく。

あと、「ガス代も高いから早く風呂に入れ」って。


そうは言っても、やることがあるんだ、こっちは。

夜、飯を食った後は、少しはゆっくりしたいじゃない？

だから、こっちも、のんびりくつろぎながら、電気つけっぱなしで、ついウトウトしちゃうのよ。

こういうときが一番言われるね。「だったら風呂に入らないで、早く寝ろ！」って。


でも、仕事の後だと、髪もディップで固めてるからベタベタしてるし、遅い時間でも入るんだよ。

すると、今度は「ガス代が上がっているんだから、追い炊きするな」とか言われちゃうのよ。

だから、一応、最初は追い炊きもしないまま、ぬるくなったお湯に入っているんだけど、この寒さだから、そのままじゃ風邪をひくだろ。

**で、女房が寝たくらいのタイミングで、追い炊きを始めるんだ。**

すると、股間から、熱いお湯がグ～ッっと上がってくるのがわかるのよ。

これが気持ちいいんだ。

みんなにも一度、試して欲しいね。

ぬるいお湯が温まって、股の下から、グ～ッと持ち上がってくるときの、あの感じ。

もう、たまらんよ。

オレは、この快感のためなら、どんなに高いガス代でも払うよ。

---

**これが気持ちいいんだ**

気持ちいいんですか？

**「改めて聞かれるときついものがあるよね」**

# 1月30日（月）

この日記って、終活編なんだよな。

終活って言えば、やたら、持ち物を整理する人がいて、トラベルミステリーで、共演させて頂いていた高橋英樹さんなんか、断捨離で33トン分も捨てたっていうんだから、往年の映画スターは、さすがに違うよね。


でも、オレも去年は捨てたよ。

大腸カメラで、10個以上ポリープがあったんだけど、7個切って、捨ててもらったから。

どう？　映画スターのみならず、このバラエティ界のスターも、やるときはやるでしょ？

ただ、10個以上あったのに、なんで切ったのが7個だったんだろう？

---

**7個切って**
ポリープのその後は？

**「結局、最後には全部取ったから大丈夫なんじゃない？　取ったものは細かくしてふりかけにして食べたよ。お腹の中を空っぽにしなきゃいけないから、前日が大変なんだ。もうやりたくないね」**

いっそ、全部捨ててくれればよかったのに、なんで、先生は、オレの大腸に**わざわざ3個ポリープを残したのかな？**

オレは、どうでもいいことは、何でも聞けるんだけど、案外、こういうことは、気が小さくて聞けないんだ。

## 1月31日（火）

オレが日記をつけさせられて、今日で10日？　11日目？

三日坊主のオレが11日続いたら奇跡だよね。

しかも、今日で1月は終わり。早いよなぁ。

もう、カレンダーを一枚めくることになるんだ。

カレンダーと言ったら、なんと言っても「じゅん散歩カレンダー」。

オレが、毎週、描いている「一歩一会」のカラーイラストが月替わり

---

**じゅん散歩カレンダー**

じゅん散歩カレンダー２０２４はいかがですか？

**「今回は自慢の絵が5つくらいあるよ。パーフェクトとしか言いようがないでしょう。今、何月？　何月でもいいけど、今すぐに買わないと。今回買っておかないと、いつなくなるかわからないから買ったほうがいいよ」**

で12枚飾られるこの世に2つとない素晴らしいカレンダーだよね。自慢じゃないけど、2023年のじゅん散歩カレンダーの1月の絵がまた良いんだ。

築地場外市場を描いたんだけど、絵からは、場外の活気はもちろん、食材の湯気や香りまで伝わってきそうだって、各方面から絶賛されたんだよね。どの方面か具体的には知らないんだけど。

必要以上に大きくスペースを取っているオレの絵が邪魔をして、肝心の日付部分が小さいところが、また良いでしょ？

あと、大安とか仏滅とか六曜が出ていたり、大寒とか何とか季節の情報が細かく書かれていたりするカレンダーが普通だけど、そういう余計なものは一切ない！

ただ、日付と曜日だけ！

オレの絵のスペースが大きすぎる分、一切の季節や歳時の情報を排除して、日付と曜日のわかりやすさだけを追求したんだね。

---

**2023年のじゅん散歩カレンダーの1月の絵がまた良いんだ**

いつもお気に入りの絵を選ばれてるんですよね。

**「もう売ってないから言うけど、本当は気に入らない絵も3枚くらい入ってたよ」**

しかも、1月に関しては「元日」「振替休日」「成人の日」以外に、1月21日に「純ちゃんの誕生日」っていう、日本人が知っておくべき必要最低限の情報だけは記載されている。

**いや〜、本当に素晴らしいよね。**

そして、来月からは、オレが描いた「京王閣競輪場の女性ライダー」の絵が、2月を彩るよ。これは、もう今からでも遅くないから、買うべきだね。

まぁ、こんなタイミングでカレンダーを買うやつはいないか。

そもそも、**これが読まれるころには売ってもいないよね。**

買ったファンへ

# 「あなたは人生で最高の判断をした」

# 2月

## 2月1日（水）

2月に入って早々、あきれて物が言えなかったよ。

『高田純次　適当日記終活編』っていう企画書を見せられて、「終活モノは絶対に売れるから」って言われたから、こっちも仕方なく、日記をつけていたのに、今日になって「タイトルが変わりました」っていうんだ。

しかも、『**高田純次　最後の適当日記**』って、やっぱりオレが間もなく死ぬ前提なのよ。油断も隙もあったもんじゃないね、全く。

そうしたら、

**「カバーに『あと50年は生きるけど』って入れますから大丈夫です」**

---

**最後の適当日記**

本書のタイトルはいかがですか？

**「まあ最後でも最初でもいいんだけどね。せっかくなら『ハリー・ポッター』にしたほうがよかったんじゃない？」**

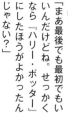

って、何の保証もないことを言うんだ。

その上「まだ仮タイトルですから、気に入らなければ変えられます」って、オレは世間から適当、適当ってよく言われているけど、オレのまわりにいるやつらの方がよっぽど適当じゃねぇかって思い知らされた一日だったよ。

## 2月2日（木）

今日は、残りの大腸ポリープの除去手術を受けてきたよ。

去年、初めて受けた人間ドックで、相当な数のポリープが見つかって、良性なんだけど、内視鏡の手術で取ろうってことになって、受けてきた。

内視鏡を、オレのケツから入れて、中のポリープを取るんだけど、除去するポリープよりも遥かに巨大なオレのイボ痔を、内視鏡が素通りし

---

**世間から適当、適当ってよく言われている**
高田さんのキャッチフレーズとして適当よりよいものは何ですか？

**「聖人君子。それしかないね。まあ、エロ男爵でもいいよ。男爵って偉そうなのがいいな」**

て、大腸のイボを取ってきたわけだ。

いや、素通りって言うより、

「イボ痔の旦那さん、あっしたちが用があるのは、中にいるケチな大腸ポリープだけで、イボ痔の旦那にはご迷惑はかけません。どうか、そこを通していただけやせんか？」

って内視鏡が挨拶して、ギロリと睨んだイボ痔の旦那が、勝手にしゃがれとばかりに無言で顎をクイと動かして、内視鏡を通してやった、って感じかな？

麻酔をかけられながら、こんなことを考えているうちに、ウトウトしてきた。

最初のポリープを取るところまでは見ていたけど、そのうち眠りについて、手術は、いつの間にか終わっていたよ。

---

**イボ痔の旦那**

旦那さんのその後は？

**「順調に育ってるよ。治療してないから」**

麻酔をかけられてるときに考えてることって、いつにもまして意味わからないよね。

## 2月3日（金）

今日は節分で、家でも孫が豆まきしたり、歳の数だけ豆を食べていたみたいだけど、オレが歳の数だけ豆を食ったら大変な事になるから、止めておいたよ。

だって、76歳だから、76個だぜ。

そもそも、**76もあったら、途中で、何個食ったか判らなくなるよ。**

そうでなくても、オレは、昨日、大腸から豆みたいなモノを手術で取り出したばかりだし、とても豆を食おうって気にならないよ。

---

**孫が豆まきしたり**　お孫さんはかわいいですか？

**「可愛いけど中学2年生になってあんまりじいさんとは話してくれないんだ」**

でも、実は、昨日の手術でも全ては取り切れなかったらしくて、また「大腸の豆取り手術」をやることになった。最初「10個以上の小さなポリープがある」って聞いた気がしていたけど、20個以上あったらしいんだよ。鬼もビックリだよね。

オレの大腸も、そんなに余計な豆ばかり育てるとはなぁ。本当に節分どころの話じゃないよ。

## 2月4日（土）

節分に続いて、立春らしいね。

「じゅん散歩カレンダー」には、そんな情報すら載っていないけど、他のカレンダーを見て知ったよ。

「立つ春」っていう字を見ると、なんかムラムラしていいよね。パワー！

っていう感じで、下半身が熱くなりそうだよ。

でも、どうせなら「立つ」じゃなくて「勃つ」って言う字の方が、さらにパワー！って感じだよなぁ。

だから、いっそ来年からは「じゅん散歩カレンダー」に限って、2月4日は「立春」じゃなくて、「勃春」って書いて、「りっしゅん」っていう表記にすると、パワーが落ち気味で、赤ひげ薬局に通っている世のお父さんには、ウケるんじゃないかな？

これは良い！　是非、そうしよう。


でも「勃春」じゃ、誰も「りっしゅん」とは読まないけど、いいよね？

## 2月5日（日）

そう言えば、一昨日大腸ポリープの手術をしてくれた先生に、なんで

---

**下半身が熱くなりそう**
最近下半身が熱くなったことはありますか？

**「半身浴したときかな」**

こんなに沢山ポリープができるのか聞いたら、

「なんですかねぇ、余程美味しい物ばかり食べているんじゃないですか」

って笑っていたよ。

芸能人は、余程美味いものばかり食っていると思っているのかな。

オレほど、粗食な芸能人はいないのになぁ。

ポリープくんも、できればこんな貧しい食生活のオレのところじゃなく、食通が売りの芸能人のところに行った方が幸せだと思うんだけど。

日記をつけるようになると、断片的に色々なことを思い出すようにはなって、何日かしてから、こんなことも考えるようになった。

これは、この歳になって、高田にも考える力がついたってことなんだろうな。


**成長って恐ろしいね。**

---

**オレほど、粗食な芸能人はいない**

高田さんにとっての一番のごちそうは何ですか?

**「『家族団らんでビール飲みながらの食事』ってことにしておこうかな。これだとCMとか来そうじゃない? いい人っぽくて」**

## 2月6日（月）

冬の青空が、美しすぎて、見上げたら、**なぜか涙が頬を伝って落ちたよ。**
まぁ、そんな一日だったね。

## 2月7日（火）

オレ、大谷翔平選手とメジャーリーグはすごく興味があるんだけど、
大谷翔平選手が出るWBCには、何の興味もないんだ。
なのに、知り合いのルートで、WBCのチケットが手に入るらしいんだよ。

---

**大谷翔平**
大谷選手の魅力は？

**「この先50年現れることがない選手だから、同じ時代にリアルタイムで見られるだけで幸せだよ」**

どうしようかなぁ、けっこう値も張るしなぁ、とか考えていたら、それを知った周りの連中から「本当に手に入るんですか?」とか「いいなぁ」って、やたら言われるわけ。

そこで、閃いたね。

このプラチナ・チケットを使えば、今、狙っているあのお姉ちゃんも誘える、って。

ウッシッシッシ、やったね! 令和のわらしべ長者と呼んでくれてもかまわないよ。

どう? 卑怯でしょ?

オレは、使えるものは何でも使う男なんだ。

# 2月8日（水）

漫画家の浦沢直樹さんと文化放送でやっているラジオの収録。

「純次と直樹」っていう、何の工夫もない、そのまんまの番組タイトルなんだけど、もう3300回以上も続いている。

もともと、浦沢さんの漫画の大ファンだったオレが、何年か前の誕生日に、「プレゼント代わりに、誰か会いたい人はいませんか?」ってスタッフに聞かれたときに、浦沢さんの名前を挙げてゲスト出演してもらったのがキッカケだった。

多分、沢尻エリカとか、長澤まさみとか、他にもいろんな名前を挙げたと思うんだけど、**なぜか**浦沢さんが来てくれたんだと思う。

まさか、そのときはレギュラー番組をこんなに長くやることになるとは思いもしなかった。

---

**浦沢直樹さん**

浦沢直樹さんはどんな方ですか?



**「記憶力がすごい。あと女性の絵を描くのがうまい。口を描くのが難しいんだけどそれがうまいよね。コロナの時はマスクでごまかせたんだけど」**

きっと、この組み合わせの意外性が良いんだろうね。

だって、滅多にないでしょ？

俳優と漫画家の組み合わせのラジオ番組だよ。

しかも共に**超一流**の。

でも出す漫画が必ず大ヒットして、そのほとんどが映画化、ドラマ化、アニメ化されている浦沢作品なのに、オレは、それに**何ひとつ出させてもらったことがないんだ。**

この辺、どうなっているんだか、今度、浦沢さんを問い詰めないといけないよね。

## 2月9日（木）

今日は、「じゅん散歩」で使う「一歩一会」の絵を描いてきた。

毎日の似顔絵も大変だけど、最後の日に出る「その週の風景画」であ

---

**その週の風景画**
風景画を描く際にこだわっていることは？

**「なるべく細かいことは描かない。特に寺なんかは細かくて、どこも同じようなものだから描きたくないね」**

る一歩一会は、カラーでしっかり描くことになるから、一枚、描くのに、相当時間がかかる。

番組が始まったのが、2015年の秋だから、間もなく丸8年か……。

相当な枚数を描いたことになるよな。

毎年、あの絵で「じゅん散歩カレンダー」も作ってもらって、販売もしているし、そこそこ好評なんだ。

一年50週は放送するとして、もう400枚近いわけでしょ？

そう言えば、6年目に入った頃に、現場の一番若いADに「なんで、個展を開催しないかね？」って言ったら、**「何？　コイツ」**って汚いものでも見るような目で見られたよ。

きっと、向こうからは、オレが本当に汚い物に見えていたんだろうな。

あの日から、個展の件については口をつぐむようになったよ。

## 2月10日（金）

東京に大雪の警報が出たけど、思ったほど積もらなかった。
雪を見ていると、いろいろな思い出が蘇る。
でも、「どんな思い出なの？」って問われるとオレは言葉に詰まるよ。

## 2月11日（土）

雪が降ると、オレの頭の中を駆け巡る歌がある。
前川清さんのソロデビュー曲「雪列車」。
歌い出しが「匂うように笑うように雪が降る」だもんなぁ。
やられちゃうよね。
昨日も降りしきる雪を見ながら口ずさんじゃったよ。

作詞が糸井重里さんで、作曲が坂本龍一さんだよ。

この曲を初めて聴いたときには、いくら頼まれても、オレには作れないと思ったよ。

まあ、オレに「歌を作ってくれ」なんて頼んでくるような酔狂なやつはいないわけだけど。


で、糸井重里さんとは、5年くらい前に、会うチャンスができたんだよ。

文化放送で漫画家の浦沢直樹さんとやっている番組「純次と直樹」が、特別番組として「純次と直樹と重里と」を作ることになって、そのときにお話をさせていただいたんだけど、「匂うように笑うように雪が降る」っていう歌い出しと、後から出てくる「無邪気色の膝掛けをかけて眠る」っていうオレが特に好きな部分の歌詞について、じっくり聞いたんだ。

オレを逆さにして振っても出てこないこの歌詞が、どうやって生まれたか、とにかく知りたかったから。

---

**文化放送**
長く文化放送でレギュラーをお持ちですが、なにか変化はありますか？

**「録音になったけど、やっぱりラジオは生がいいね。生が一番。純次と直樹も生でやろうかな」**

ところが、「なんで、この歌詞が出てきたんですか？」って、聞いたことはハッキリと覚えているんだけど、糸井さんがなんて答えたかが、どうしても思い出せないんだよね。

きっと素敵な答えだったと思うんだけど、ああいう頭の良い人って、質問に対して、捻った答えをしてくるから、こっちはとっさには理解できないんだよ。

そうなると、オレは、迷子になって、ついていくのを諦めることになるからさ。

オレみたいなやつに聞かれたことに関しては、もう嘘でも良いから、難しいことは言わないで、赤ちゃんをあやすレベルの易しい答えを返してほしいよね。

## 2月12日（日）

驚いたよなぁ。

オレが、ＷＢＣのチケットを使ってお目当てのお姉ちゃんを口説こうか、って目論んでいるときにとんでもないニュースが目に入ってきたんだ。

あの大谷翔平選手が、今シーズンのオフに5億ドルで契約するんじゃないかっていうニュースが。

そうしたら、今日になって、今度はダルビッシュ有投手が、パドレスと6年で1億８００万ドルで契約したって言うんだよなぁ。

日本円で１４２億円だぜ。腰が抜けそうだったよ。

じゃあ、大谷は、日本円でいくらなんだ？

オレ「大谷　5億ドル」っていうのを見ていたけど、5億ドルがいくらなのか全然、ピンと来ていなかったんだよ。5億ドルって、６５７億円なんだって？

---

**とんでもないニュース**
メジャーリーグのニュースはよく見られてますか？

**「大谷が出てなければ見ないよ。ワールドシリーズも結果しか見ない。それより大谷だよ。5億どころか倍だもの。わけがわからないよ」**

世の中では、とんでもない金額が動いていたんだな。

オレは、この歳だから657億円も使い切れないから、ダルビッシュの「142億円」でいいや。

しかも6年契約っていうのがいいよね。ダルビッシュは42歳まで続けられるらしいじゃない？

こういう長期の契約は、ベテランにはありがたいよね。


とは言っても、オレと6年契約を結んでくれる奇特な人なんているわけないか。

だって、**オレが6年契約結んだら、82歳まで**ってことだからね。

こちとら、今や1クールの契約すらおぼつかないのに。

そして、そんな桁違いに凄いメジャーリーガーが参戦するWBCのチケットを餌に、お目当てのお姉ちゃんとのデートを企てるオレの小ささ！

---

**オレと6年契約**
6年後は想像できますか？

**「夏と冬が6回ずつ来るんじゃないかな」**

情けないでしょ？　でも、これが、高田純次だよ。

## 2月13日（月）

今日は、昨日の邪悪な考えを反省しながら、ガラス窓を伝う雨の滴を指でなぞっている内に一日が終わったよ。

## 2月14日（火）

バレンタインデーか。

今年も事務所にトラックが停まって、荷台いっぱいのチョコレートが届いたのかと思ったけど、うちの事務所の女性が注文したＡｍａｚｏｎの荷物がひとつ届いただけだったよ。

でも、オレにとって、バレンタインは、車のスタッドレスタイヤを、いつノーマルにしようかって考え始める日なんだ。

去年は、11月にスタッドレスタイヤにしようと思ったんだけど、ガソリンスタンドが混んで出遅れて、結局換えたのが12月に入ってからだった。

その間、「雪が降ったらどうしよう」って、**毎日気が気じゃなかったよ。**

そして、今度は「さすがにもう雪も降らないだろうから、いつノーマルにしようか」って、毎日毎日、思いを巡らす季節の到来ってわけだ。

オレは、めんどくさがりのくせに、こういうことでソワソワ悩むのはわりと好きなんだよね。

でも、マネージャーに

「小山くん、どうする？　まだ換えなくて良いかな？」

---

**スタッドレスタイヤ**

スタッドレスタイヤ交換時期への思い入れを聞かせてください

**「雪が降る前に換えて、最後の雪が降った直後に戻す。これしかないよね。株価と同じ。安い時に買って高い時に売る。この喩えで合ってる？」**

**マネージャー**

マネージャーの小山さんは最近どうですか？

**「社長なんていいことないんだから、小山くんを社長にしようかな」**

って、聞くと、毎日聞かれる小山くんは、聞く度に、**能面のような無表情な顔**で、

「さぁ、どうでしょう?」

としか言わないから、オレのソワソワ気分とは裏腹に、乗っていないんだろうね。

ったく、もっと楽しめよ！　って言いたいね。

## 2月15日（水）

プロ野球は、もうキャンプだけど、オレはまだ自主トレ期間だね。

## 2月16日（木）

侍ジャパンが、ＷＢＣに向けて強化合宿を始めたみたいだから、オレも、そろそろやろうかな。

## 2月17日（金）

でも、面倒くさいよなぁ。
肩もまだ仕上がっていないし。

## 2月18日（土）

今日こそ、キャンプを張ろうと思ったけど止めて、代わりに腰にカイロを貼ったよ。
腰を温めるのは大事だね。
でも、そういう日に限ってバカ陽気なんだ。

## 2月19日（日）

さすがに、そろそろキャンプインしないと、ＷＢＣのマウンドに立てないから、身体のケアにマッサージだけしてもらった。
お陰で、気持ちよくって、ヨダレ垂らして寝ていたよ。

---

**マッサージ**
マッサージはよく行かれますか？

**「身体が疲れてしんどいときには行くよ。元気なときに行っちゃうとしんどくなるよ」**

# 2月20日（月）

いや〜、そう言えば、この前は、ドラマの現場で良い仕事をしてきたなぁ。

あれ？　聞こえなかった？

**ドラマの現場！**

オレの重厚な芝居で、現場をピリピリさせ過ぎたとしたら、若い役者さんには申し訳ないことをしたと反省しきりだね。

でも、意識しなくても自然とオーラが出ちゃうんだろうなぁ。

まだ寒かったから、外で待ち時間とかが出ると、暖まりたくなる。

そういうとき、オレは「こっちに来て暖まりなよ」っていうように心がけているんだ。

っていうのも、昔、ある大物俳優さんに、オレがこういう声をかけて

---

**ドラマの現場**
ドラマは高田さんの仕事の中でどういう位置にありますか？

**「俳優だからメインの仕事だよ。俳優、舞台俳優、あとは弁護士ってとこかな。舞台なんて何年も出てないけど。最近セリフの入りが悪くなってきたよ。昔はNGも全然出さなかったのに。セリフ自体少なかったんだけど」**

いただいたからなんだよね。

こういう美しい習慣って、**大物から大物へ**バトンを渡すように繋げていくとが大切だと思うんだよ。

じゃあ、若かりし頃のオレに「純ちゃん、こっちに来て、暖まりなさい」って声をかけてくれた大物俳優が誰か、そろそろ言おうかな。

ここは「別に知りたくない」って言われても、無理矢理、耳にねじ込んででも聞かせるよ。

なんと、その人は美空ひばりさん。

あれ？　聞こえなかったかな？

## 美空ひばりさん！

「夢でも見てんじゃないか」とか「高田のヤロー！　また嘘こいてやが

---

**美空ひばりさん**

美空ひばりさん以外で高田さんが会われて興奮された方はどなたですか？

**「松方弘樹さんと同じ番組をやったのは緊張したね。『高田くん頑張ろうね』ってエレベーターで肩に手を置かれて言われたときはちょっと濡れたよね」**

る！」とか、思う人もいるかも知れないけど、これが、本当なんだよ。

美空さんが刑事役で、オレが、あんまり良く覚えていないけど、犯人に近いような役どころだったかな。

あまりも記憶が不確かだから、前に調べてもらったら、ＴＢＳで１９８５年に放送された、美空ひばりさん主演の「女コロンボ危機一髪」っていう2時間ドラマだった。


この現場でも、オレは、相当良い芝居をしたはずなんだけど、いかんせん覚えてはいない。

でも、撮影の合間に「こっちで暖まりなさい」って、ひばりさんに声をかけて頂いたのは、ハッキリと覚えているんだよ。

ひばりさんには、専用のストーブが用意されていて、それを指さしながら「純ちゃん、おあたんなさい」って。「高田さん、おあたんなさい」だったかな？

いずれにしても、なんであの国民的な大スターが、アングラ出身のオレにそんなに優しい声をかけてくれたのか理由は不明なんだ。

思い当たることがあるとすれば、オレが東京乾電池で役者を始めて食えなかった頃のちょっとしたご縁だろうな。

当時、オレは目黒区の美空ひばりさんの豪邸の前で、水道管を埋めるために、穴を掘る工事をアルバイトでやっていて、地下5メートルくらいの所で、あやうく生き埋めになりそうになったんだよ。

これこそ、今まで生きてきて一番恐ろしい出来事だね。

でも、若かりし頃、こうやってオレが命がけで、ひばりさんの家の前で、穴を掘っていたのを、実は、ひばりさんは知っていて、それから5年後にドラマの現場で、オレに、

「純ちゃん、あのときは大変だったわね。ありがと。さぁ、こっちに来て、おあたんなさいよ」

って……。

---

**今まで生きてきて一番恐ろしい出来事**

2番目に恐ろしかった出来事は何でしょう?

**「ロケで布団に簀巻きにされて海に流された時は死ぬかと思ったね。手も動かせなくて布団が水を吸い込んで沈んでいくんだから。真鶴の海でボンベの酸素がなくなって意識失ったときもこわかったね」**

今日は、ここまで書いていて、自分でも馬鹿馬鹿しくなってきたから止めておく。

## 2月21日（火）

昨日は、色々な記憶が蘇って、つい筆が走って、長く書きすぎた。

**2日分にわけて書けばよかったよ。**

今日は、そんな後悔の念に駆られた一日だったね。

## 2月22日（水）

朝、テレビを見ていたら、『今日はニャンニャンニャンで猫の日』ってやっていたから、

**一日、子猫の気持ちで過ごしたよ。**

## 2月23日（木）

ひとつ気がついたけど、ひばりさんって、当時まだ47歳だったんだね。
当たり前だけど、そりゃあ、すごいオーラだった。
その点、オレはもう76歳だけど、昨日は散歩のロケで、「あ！　高田純次！」って、若いママに指をさしてもらって、

**「ど〜も〜。芸能人です〜」**

って、愛想を振りまいてきたよ。

---

**散歩のロケ**

ロケで出会った面白い人はいますか？

**「散歩で行ったシーフードレストランのオーナーシェフが『ポリシーはなるべく傷んだ物は出さないこと』って言っていたのにはやられたね」**

## 2月24日（金）

美空ひばりさんとの件なんだけど、考えてみると、あれを3回にわけても良かったね。
だから、みんなも、4日前の日記を、3回にわけて読んでくれる？
ヨロピク！

## 2月25日（土）

散歩のロケで、美しい女性がいると、どうしても声をかけたくなるんだよなぁ。
特に、オレなんか欧米の人にコンプレックスを抱きながら育った世代だから。

美しい欧米の女性を見ると、コンプレックスの裏返しで、

「ナイス　チュー　ミーチュー」

「ウェア　アー　ユー　カム　フローム？」

って声をかけちゃうわけ。

向こうは、日本人のジジイがいきなり声をかけてくるから、最初はビックリするけど、声をかけてくるくらいだから、当然、英語が喋れるもんだと思って、ペラペラ喋ってくる。


そうなったら、こっちはお手上げだから、大きな声で笑って、「グッバイ！　ハバナイスデー！」ってお別れするしかないのよ。

向こうは、あれだけなれなれしく話しかけてきた「ジャパニーズ・ジジイ」が全然、英語が話せないもんだから、さらにビックリしているよ。

でも、本当は、オレは英語はペラペラなんだ。

ただ、**英語はペラペラなんだけど、意味はわかんないんだ。**

---

**英語はペラペラ**
英語以外でペラペラな言語はありますか？

**「やっぱり日本語だね。フランス語は一部ペラペラ」**

ってセリフを、オレは30年以上言い続けているよ。

## 2月26日（日）

毎年2月26日は、２２６事件の青年将校に思いを馳せることにしているんだ。

ただ、思いは馳せるんだけど、２２６事件が、オレの知識の中にほとんどないから、馳せた思いがさっぱり膨らまないんだ。

## 2月27日（月）

今日は、仕事が予定よりも早く終わって、そのまま帰ると、早すぎてかあちゃんに嫌な顔をされそうだったから、一人でカラオケに行って、桂銀淑の「東京ホールドミータイト」を歌いまくってきた。

オレは、桂銀淑の曲が大好きで、よく一人で歌うんだ。

今日は特に上手く歌えていて、自分でも不思議だったんだけど、そう言えば今年の1月1日に、文化放送「純次と直樹」の放送が300回記念だって言うんで、スタジオでこの歌を歌ったんだよ。

プロのミュージシャンでもある浦沢さんが、オレのためにギターの生演奏とハーモニカまで吹いてくれるっていうからさ、オレも下手な歌は歌えないっていうんで、その収録の前に一人カラオケで練習しまくった。

このときの練習の下地があるから、まぁ今日も声が伸びること、伸びること。

あまりの上手さに、店の従業員がチラチラ覗いていたからね。

でも、これって、70も後半に入ったジジイが、桂銀淑の同じ歌を一人

---

**一人でカラオケに行って**
カラオケで他に歌う曲は？

**「今は五木ひろしの『夜明けのブルース』と前川清の『花の時・愛の時』。うちの近くの生バンドのカラオケスナックで歌うのが気持ちいいんだよ。1ヶ月に1回くらいは行くんだけど、新しい歌仕入れてないから毎回同じ曲歌うことになるんだ」**

で、繰り返し熱唱しているのが珍しかっただけなんだろうな。

## 2月28日（火）

今日で2月の終わりだ。

2月はとにかく早い。

オレも18歳の初めてのときから、**ずっと「早い」って言われ続けてる**から、親しみが持てるね。

# 3月

# 3月1日（水）

「じゅん散歩カレンダー」をめくったら、ジイさんが病院の廊下で咳き込んでいるみたいな絵で、何かと思って全体をよく見たら、**「ラテンダンス教室で、踊っている様子を見ているオレ自身」**を描いた絵だった。

前も言ったと思うけど、このカレンダーは、日付と曜日以外何の情報もないから、仕方なく、他のカレンダーを見たら、今日は大安なんだ。

だから、マネージャーに

「今日、大安だから、そろそろスタッドレスタイヤに換えたらどうだ？」

って言ったら、

**「大安だから、っていうより、この先に雪が降るか降らないかっていう判断で換えるべきじゃないですか」**

って、至極もっともなことを言われたよ。

---

**マネージャー**

小山さんを一言でいうとどんな方ですか？

**「真面目一徹、ってことにしといてくれるかな。健康で病気もしないし、金遣いも荒いし」**

オレは、占い師でも気象予報士でもないから、この先の雪の予報なんてわかるわけないのに。
ただ、今換えちゃうと、この先雪が降ったときに、マネージャーから
「だからあのとき言ったじゃないですか」
って言われることだけは目に見えていたから、換えないことにしたよ。

## 3月2日（木）

WBCの日本代表、鈴木誠也が出場を辞退したって聞いて、焦ったよ。

この前まで、ぐだぐだとキャンプインを先延ばししていたけど、オレも急ピッチで仕上げないと。

高田純次、76歳。

栗山監督！　いつ侍ジャパンに召集が掛かっても、すぐに駆けつける準備をしておきます！

**占い師**
今年はどんな年になりますか？

**「何ヶ月したら暑くなって、その後寒くなるよ」**

## 3月3日（金）

今日は、灯りをつけたよ、ぼんぼりに。
お花を上げたよ、桃の花。

## 3月4日（土）

この前、エンゼルスの大谷翔平投手が、今年メジャーに渡った藤浪投手と投げ合ったね。

同い年の二人が、オープン戦とは言え、メジャーのマウンドで投げ合うってすごいよなぁ。

これって、例えるならオレと同い年の森進一さんが、紅白の舞台で火花を散らすようなもんだろ？

---

**オレと同い年**

他に意識されている同い年の方はいますか？

**「たけしさんが同い年だけどジャンルが違うからなあ。オレも映画監督とかやっておけばよかったよ。主演の女優さんに最初びしびし説教して、その後優しくするんだ。**
**映画『瀬戸内ムーンライト・セレナーデ』に出たときに、篠田正浩監督が奥様の岩下志麻さんに台本の読み合わせの時からビシビシ厳しく怒るんだ。こっちはもうビクビクしちゃってさ。麿赤兒さんと顔見合わせて『どうしましょう…』ってなったの覚えてるよ。でも、あれも監督の作戦だったのかもしれないね」**

あるいは、同い年の上、名前まで同じの稲川淳二とロウソク立てながら、怪談を言い合うようなもんだろ？

教育評論家の尾木ママも同じ歳なんだけど、「純次は、ちょっと違う意見なの」って、尾木ママと教育論を戦わせるみたいなもんだな。

最近の若い芸人さんは、例えが上手い人が多いけど、オレは

**「高田さんは、例え話は上手じゃない」**

って、よく人に言われるんだ。

## 3月5日（日）

この前から、コンタクトレンズのアイシティのCMの新シリーズが流れている。

2021年からやらせてもらっているんだけど、こんな老眼のジジイにコンタクトレンズのCMをやらせてくれるんだから、アイシティさん

---

**老眼のジジイ**
老眼以外に老化を感じることは？

**「耳が遠くなってきたんだ。だからだいたい会話は読心術」**

は、本当に素晴らしい！

パーフェクトとしか言いようがないよね。


もっともＣＭのメインは、女優の永野芽郁ちゃんなんだけど。

彼女は、演技力も素晴らしいし、見目麗しく、これまたパーフェクトとしか言いようがない。


そもそも彼女とは、以前、年の差を超えた悲恋もので美男美女のラブシーンを演じたことがあるんだけど、あのときの彼女は、まさに「日本アカデミー賞主演女優賞」にふさわしい熱演だったな。

もちろん、オレは「主演男優賞」だったし。

今にして思うと、役に入りすぎて二人は本当に恋に落ちていたんじゃないかな。


でも、こういうことは、冗談でも口にすると、事務所の人に「高田、

---

**永野芽郁ちゃん**
永野芽郁さんはどんな方ですか？

**「私生活は知らないよ。ナチュラルでいい子だったよ。『ご飯を食べるのが早くて恥ずかしいんです…』って言ってたから『早めし早グソ芸のうち」っていうくらいだから才能だよ』って言ってあげたら『うれしいです！』って」**

ふざけんじゃねぇ！」って言われるから、**今日のことは、どうぞ忘れて下さい。**

## 3月6日（月）

永野芽郁ちゃんのことで、忘れていたことがあったよ。

彼女が「ゴルフを始めたい」っていうから、「球なんか当たらなくても、綺麗なフォームで、スタスタ歩いて行くとカッコイイ」って、ゴルフ歴45年のキャリアから、的確なアドバイスをしてあげたよ。

これで、昨日の一件も、許してくれるよね。

---

**ゴルフ歴45年のキャリア**

ゴルフは最近はいかがですか？

**「1年半やってないんだ。予定はあったんだけど、結局合わなくて。だからスコアはまずまずってことでいいんじゃないかな」**

# 3月7日（火）

一週間くらい前に「じゅん散歩」と、長嶋一茂くんとかが出ている「バラつく」とか「ザワつく」とかいうバス旅の番組がコラボした番組が放送されたんだよ。

だいぶ前にロケをしたから、内容は忘れていたけど、見てくれた人からは、おおむね好評で、「面白かった」って言ってもらえた。

まぁ、面と向かって「高田！　この前の番組面白くなかったぞ！」って言う人もいないし、気を遣ってくれている部分もあるんだろうけど。

で、そのコラボ番組だけど、オレが何かやる度に、一緒に出ていた長嶋一茂くんとか、サバンナの高橋くんとかが、突っ込んだり、藤田ニコルちゃんが反応してくれたりするから、楽だったたし、実にありがたかったね。

---

**サバンナの高橋くん**
高橋さんとは「高橋純次とややこしい女たち」もやられましたがどうでしたか？

**「高橋くんはMCがうまいのよ。自分を殺して相手からいい言葉を引き出すのが上手なんだ。オレは相手の言葉を聞かないで自分の言葉を引き出すから真逆なんだ」**

何しろ「じゅん散歩」は、いつも76歳の老人が、たった一人で、町を徘徊しては、オレよりもさらに年上の方も含めて、取り敢えず話しかけるっていう番組でしょ？

だから、相手の反応とかを期待してやっていちゃダメだし、当たり前なんだけど、オレが、くだらないことをやっても誰も突っ込んではくれない。

あとで、テレビ朝日の下平さやかが「コラコラ」って、入れてくれるけど、**散歩している最中は、聞こえないから。**

ただ、一人だから、そこが気楽でもあるし、好きにやらせてもらえるから感謝しているんだけど。あのときのコラボ企画のロケでは、オレが何かやる度に、突っ込んでくれるわけよ。

しかも、側にいる人みんなが、寄って集って突っ込んでくれるんだぜ。

こういうのを「まるで、盆と正月が一緒に来たみたい」って言うんだろうね。

---

**下平さやか**
逆に、下平さやかさんに「コラコラ」と言いたいことは？

**「日記にも書いたけど、下平さんの旦那さんの長野さんを相手に始球式したんだよ。見事に硬球をノーバンで投げたんだ。その後囲み取材で『僕もノーパンです』って言おうと思ったんだけど、取材がなかったんだよ。あれ？　取材何の質問だっけ？」**

言葉の使い方、間違えていますか？

## 3月8日（水）

ＷＢＣの壮行試合での、大谷翔平選手の２本のスリーランを見て、前々から心の中で迷っていたことを決意したよ。

しかも、片膝ついて、バックスクリーンの横まで放り込むって、すごすぎだろ。

## 3月9日（木）

**彼にならオレは抱かれてもいいよ。**

おいおい、明日のＷＢＣの日本対中国。
大谷翔平選手が先発。
しかも二刀流だってよ！
行くんだよ、その試合を見に。
どうしよう？
オレの目の前で、今夜は、ホームランを打ってくれたら。

この前、大谷選手は片膝ついてホームランを打ってくれたから、オレは**両膝をついて**ホームランを打って見せちゃおうかな。

## 3月10日（金）

ＷＢＣ。日本対中国戦。
これから、オレが初めて抱かれてもいいと思った殿方が、マウンドで

---

**WBCの日本対中国**
生観戦した中国戦はいかがでしたか？

**「大谷がマウンドを降りた後つまんなくなって帰っちゃったんだよね。隣りにいたサッカー解説者のM木さんも帰ってたよ」**

躍動する勇姿を焼き付けてくるぜ！

**身体のどこかが熱くなって、**立っていられなくなるかも知れないな。

## 3月11日（土）

期待した通り、っていうか、期待以上の活躍をするのが、本当のスーパースターだよなぁ。

そういう意味じゃ、オレは、大谷翔平が、他人とは思えないよ。本当に昨日は酔いしれたよ。

でも、悲しいかな、とびきりのお姉ちゃんを誘い出して一緒に観戦する予定だったオレの隣に座っていたのが、「じゅん散歩」のプロデューサーなんだよ、それも、男の。

ここだけは、予定が違うにも程があったね。

---

**本当のスーパースター**

生の大谷翔平の印象は？

**「遠くでしか見てないからね。一人で黙々とウォーミングアップしてる印象が残ってるよ」**

大谷翔平選手の大暴れを目に焼き付けた後は、オレが、ベッドで大暴れするつもりだったのになぁ。

妄想が膨らんでいた分、横を見ると台無しになりそうだから、**まっすぐ前だけ見ていた。**

だから、周りからはオレが、よっぽど野球好きって思われただろうな。だったら、いっそ、これをキッカケに「野球好きタレント」っていう評判が立って、仕事が来ないかな。

ただ、いかんせん、オレの野球知識が薄っぺらすぎて、スタジオでは、だんまりを決め込むことになると思うけど、ギャラさえもらえればそれでもいいかな。

---

**オレの野球知識**

好きな野球用語は？

**「ピッチクロック」**

## 3月12日（日）

今日は、立て続けに、くしゃみが5回くらい出たよ。
あと、地力で止めようのない鼻水も出た。
目も痒い。
花粉症でもないのに、オレはどうしたんだろう、って感じだね。

## 3月13日（月）

前に、これだけ描いてきたんだから「一歩一絵」で、個展でも開かないのか、って愚痴っちゃったけど、イラスト集が販売されることになって、今までに描いてきた300枚以上の風景画から自分で57枚も選ばせてもらったんだ。

---

**イラスト集**
「一歩一絵」イラスト集の思い入れを教えてください

**「画集にしてくれてうれしかったな。3点くらい気に食わないのも混ざってるんだけど。よく考えたらオレが選んだんだった」**

中には、締め切りに追われて、夜遅くに泣きながら描いた絵も少なくないから、「ここに涙の跡が……」なんていう絵もあった。
だから選ぶのも大変だったよ。

で、今日は、その見本を見たんだけど、もう、素晴らしいとしか言いようがないね。
言っておくけど、素晴らしいのはオレの絵じゃないよ。
これを本にしてくれたスタッフが、素晴らしい。
オレは、本当に心から感謝しているし、みんなを愛している。
申し分のないスタッフに囲まれてオレは、日本一の果報者だ。
スタッフって言うより、もう家族だね。
オレは、そう思っているよ。

**って、これだけ言っておけば、売れなくても文句は言われないんじゃないかな。**

だって、筆ペンもセットとはいえ、オレの画集を5000円近くで売るって言うんだぜ。強気な商売って言うか、良い根性してるよなぁ。

## 3月14日（火）

昨日の大谷翔平選手の特大3ランが飛び出した瞬間、濡れたね。

で、決意したよ。

**そろそろ、大人用おむつをはこう。**

実際、前立腺もかなり肥大しているし。

## 3月15日（水）

昨日って、ホワイトデーだったんだ。

もう、ジジイだから関係ないけど。

ジジイが、無理して若い連中の真似をするとロクなことがない。

写真を撮るときに、若い連中の間で流行っているポーズの真似をするつもりが、間違って、人差し指と中指の間から、親指を突き出しちゃうみたいな。


まぁ、これはこれで、男らしくていいって話もあるけど。

## 3月16日（木）

今日も、オレが出ている「アイシティ」の新しいCMを見たよ。

実物も可愛いけど、永野芽郁ちゃんの透明感、清潔感は凄いね。

その点オレは、スケベっぽさだけで、清潔感がゼロだね。

あ、だから、このコンビで起用してもらえたのか。

だったら、いっそ、永野芽郁ちゃんはCMが多いから、全てのCMにオレも一緒に出してくれないかな。

こういうことを言うと、今度こそ、事務所の人に
「高田、どこまでも調子に乗りやがって！　ちょっと裏に来い」

って、言われそうだな。

## 3月17日（金）

WBCに気を取られて、うっかりしているうちに桜は咲くわ、スタッドレスタイヤをノーマルに替えるのを忘れるわ。

---

**オレも一緒に出してくれないかな**
いま出たいCMはありますか？

「ホンダのN-BOXはオレがCMやった後からずっと売れてるんだよ？　もう一回出してくれないかな」

## 3月18日（土）

このままWBCが永遠に続いたら、死んでることにも気づかないくらいうっかりしそうだよね。

## 3月19日（日）

なんで、彼岸って「彼の岸」なんだろう？

お彼岸なので、ぼた餅のひとつも食いたいところだけど、家で、うっかりそんなことを口にすると、「ぼた餅は、あの世に行ってから仏前に供えてやる」とか言われかねないので、黙ってコンビニに行って**あんパンを買って食ったよ。**

---

**あんパン**
パンの中ではあんパンが一番ですか？



**「大福かな」**

美味かったけど、涙の味がしたね。

## 3月20日（月）

花粉症でもないのに、今日も起き抜けから、目が痒くてしょうがない。鼻水も、壊れた蛇口みたいに出っぱなしで、鼻をかんでもキリがないから、ティッシュの両端をこよりを作って、リング状にして、両方の鼻の穴に突っ込んだ。

お陰でポタポタ垂れるのを防げた。

孫にも**「牛かよ！」って褒めてもらえたよ。**

## 3月21日（火）

---

**孫にも「牛かよ！」って褒めてもらえたよ**

お孫さんと最近されたことはありますか？

**「マルバツゲームをやったね。全部引き分けだったからつまらなかったよ」**

花粉症の薬を飲んだら、鼻水がピタッと止まったよ。

**花粉症でもないのに、不思議だね。**

特異体質かな。

# 3月22日（水）

今日は、朝から晩まで、WBCの侍ジャパン世界一で一色だよ。

そして、大谷翔平選手がMVP！

これって当然だよね。

大谷翔平ファンのオレとしては、うれしくてしょうがないんだけど、

ただ、こうなると、どうしても思い出すのが、去年ア・リーグのMVPをアーロン・ジャッジに取られて、2年連続のMVPに選ばれなかったときの悔しさなんだよなぁ。

---

**侍ジャパン世界一**

ずばりWBC世界一の勝因は？

**「大谷だよね。大谷しかないね。オレは大阪で泊まるのもオータニだよ」**

あれって、おかしいだろ？

オレは、この件だけはどうしてもムキになって、延々と語るから周りに煙たがられてるよ。

## 3月23日（木）

今日は、昨日のWBC優勝の余韻に浸っていたってことでいいよね。

## 3月24日（金）

今日も、余韻は覚めやらぬ、ってことにしておいてくれるかな。

## 3月25日（土）

大阪。

なにしろ、今日は、久しぶりの公開収録だったから。

いろいろあったから詳しくは明日。

## 3月26日（日）

昨日、3年ぶりに読売テレビ「上沼・高田のクギズケ！」の公開収録があった。

お客さんも待っていてくれたみたいで盛り上がったよ。

まぁ、お客さんが待っていたのは、オレじゃなくて、上沼恵美子さんなんだけど。

---

**公開収録**

お客さんの前での収録は気分が違うものですか？

**「何か言うと爆笑してくれるから仕事がしやすいよね。僕の話術がすごいからだけど」**

オレのやっている番組って、お陰様で長く続いているものが多いんだけど、この番組も長いよ。

クギズケが始まって、今年で丸12年以上。この前の「愛の修羅バラ」っていう番組でも上沼さんとご一緒させていただいていたんだけど、合わせるともう15年くらいになるんじゃないかな。

世間じゃ、歯に衣着せない、達者な喋りを繰り出す女性タレントを怖がりながら面白がるけど、オレは、その代表格の上沼恵美子さんも和田アキ子さんも、ずいぶん仕事をさせていただいたね。

「怖くないですか?」

って、良く聞かれる。

でも、人間関係に限らず何でもそうだと思うけど、怖がっていたら、仕事にならないし、当然、番組もこんなに長く続けられないよね。

言わせてもらうなら、一番大切なのは**「怖がる前に愛すること」**だね。

ムツゴロウさんなんかも怖がらないで、愛で包むから、どんな猛獣と

---

**上沼恵美子さんも和田アキ子さんも**
上沼さんや和田さんと共演する際のコツは?

**「無になることだね。泉ピン子さんも加えて『3大破壊者』を渡り歩いてきたから達観してるんだ」**

でもあんなに仲良くなれるわけだろ？

そういう意味じゃ、オレは、ムツゴロウさんに通じている。

でも、唯一違うのはムツゴロウさんは物知りだけど、オレは何も知らないってことだね。だからオレのことはから**「無知ゴロウ」**って呼んでもらおうかな。

なんなら「無知ゴロウ　動物王国」で、企画書でも回しておいてもらおうかな。

## 3月27日（月）

今日は休みで、やることもないから、メルカリに良い出物がないかを見ていた。

「良いシャツですね」

なんてお世辞で言ってくれる人がいるけど、

---

**メルカリ**
ネットショッピングはよくされるのですか？

**「買ったのは靴かな。靴で足の踏み場もないよ。もうあまりいらないのはマネージャーの小山くんに押し付けようと思ってるんだ」**

「これ、メルカリ」

って言うと、大概ビックリされる。

「え〜！　こんなジジイが、メルカリ？」

ってことなんだろうね。

それとも、

「こんな活躍中の芸能人が？」

ってことかな？

多分、後者だね、ぐふふ。

でも、昔からオレが大好きな5大セリフが

「出血セール」「大売り出し」「赤字覚悟」「〇割引」「限定×名様限り」

なんだよ。

特に「限定」に弱くて「×名様限り」は、特に心惹かれるね。

かと言って「10万名様限り」じゃ数が多すぎてありがたくないし、お店で「1名様限り」は嘘くさいじゃない？

それが、メルカリは、本当に「1名様限り」のモノばっかり多いから、オレもつい、手が出ちゃうんだよ。

まぁ、何より、使い古している分安いから、なんだけど。

これが、こんなジジイの芸能人が、必死こいてメルカリを利用している理由だね。

## 3月28日（火）

昨日は、結局、ずっと目を細めながらスマホでメルカリを見ていて、何も買わずに終わった。

今日は、老眼を休めてあげないと。

---

**メルカリ**
ネットショッピングで一番外れだった商品は？

**「『良好です』って書いてたのに傷だらけだった靴」**

# 3月29日（水）

大切なことを忘れていたよ。

メルカリだけじゃない。通販はよく使うよ。

特にテレビ朝日の通販。

買い物が好きな人はいいけど、オレなんか、逆にジジイだからこそ、お店の買い物が億劫になってきたんだよなぁ。

そもそも通販は良いものが多いね。

もう一回言うけど、特にテレビ朝日の通販。

中でも、バッグや靴は秀逸。

オレが、横浜元町の「キタムラ」とコラボして作ったイタリアンレザーのバッグなんて、その手触りだけで、しびれるよ。

あと、リーガルとコラボした高田純次モデルのシューズも足を入れただけで、おしっこ漏らすくらいに素晴らしいよ。

---

**高田純次モデル**
キタムラ、リーガル以外にコラボしたいブランドは？

**「エルメスが来たらやってもいいよ」**

だから、テレビ朝日の通販は、どんどん活用して欲しいね。昨日のうちにこれをお伝えしておかないといけなかったんだよ。いや〜、焦った。

でも、遅ればせながらでもこれだけ言っておけば、テレビ朝日もオレに金一封だしても罰は当たらないだろ。

読者の諸君も、僕が自信を持っておすすめするテレビ朝日の通販を、是非どうぞ！

なんなら、

「高田純次の日記を見ました」

って一言書き添えてくれたら、1割……いや、**3割増しの金額**で買えるようにしておくよ。

---

**テレビ朝日の通販**　必要以上に連呼されてますね。

**「テレビ朝日の通販は本当にいいんだよ。みんなも見てみてよ、テレビ朝日の通販」**

# 3月30日（木）

去年から、テレビに繋げると、音量を上げなくても音がくっきり聞こえる、「ミライスピーカー」っていう優れもののスピーカーのCMをやらせてもらっているのよ。

CMを見てくれている人も多いと思うんだけど、これが、自分で言うのもなんだけど……、ごめんなさいね、大好評で。

最初は、「よくこんなジジイに、ハイテクの最新スピーカーのCMの声をかけてくれたなぁ」って驚いたんだけど、聞いてみたら、『テレビの音が聞き取りにくくなった世代がターゲットのスピーカー』って聞いて、それは納得したわけ。

で、次に「よく、こんな未来のないタレントにミライっていうスピーカーのCMをやらせてくれるな」って思ったんだ。

でも、それを正直に口にすると、

**「確かに、それもそうですね。じゃあ、もっと若い人にしようかな」**

ってなりそうだから、言わなかったよ。
良かった……言わなくて。
年を取ると、色んな引け目があって、気が弱くなるよね。

## 3月31日（金）

1月は行く。
2月は逃げる。
3月は去る。
ってことで、1月から3月はあっという間。とにかく早いんだね。
オレも「早い、早い」って言われ続けてきたから、他人とは思えないよ。

**3月は去る**
4月は何ですか？

**「4月は知らない」**

# 知らない人へ
# 「あなたより長く生きたい」

# 4月

## 4月1日（土）

エイプリルフールだから嘘をつくぞ〜！

ってやつは、今どきいないよな。

オレは、普段から、**9割5分嘘だから**、昔からエイプリルフールは意識していないよ。

## 4月2日（日）

ビックリしたね。

マネージャーに、

「昨日の日記の内容は、**15年前に出した適当日記の4月1日と同じです**」

---

**9割5分嘘だから**
最近ついた嘘は？



**「今日話してるのもほとんど嘘だよ」**

って言われたよ。
で、さらに、
「一昨日の内容は、1ヶ月前の2月28日と、ほぼ同じです」
だと。

**奇遇だよね。**

奇遇って言わないの？　こういうとき。

## 4月3日（月）

俳優の松山ケンイチくんが、テレビのインタビューで、オレのことを気にかけてくれている、とか「高田純次みたいになりたい」って、言ってくれたらしいね。

たまにそう言ってくれる芸能人がいたりして、うれしいやら驚くやらなんだけど、この際だから、思い切って、高田純次のように生きるコツを教えちゃおう。

まず、**この『最後の適当日記』を10冊買って欲しい。**

その10冊を、君の知り合いや、家族でも親戚でもいいから1冊ずつプレゼントして欲しい。

そして、本を配るときは、

**「この本を受け取ったら、必ず、同じ適当日記を10冊買うように」**

とキツく約束すること。

そして、その本をまた10人に配って、その10人に「必ず10冊買え」と伝える。

これをやると、君もきっと、高田純次になるはず。

間違いない。

---

**必ず10冊買え**
高田さんが買い上げていただいて配るのはどうですか？

**「もらうのじゃだめなんだよ。買わないと高田純次にはなれないのよ」**

実はオレも元々は、**高田純次じゃなくて矢ケ崎留吉だったんだけど**、この方法で、高田純次になれたんだ。

だから、この方法が一番確実だね。

## 4月4日（火）

そう言えば、松山ケンイチくんとは、浅からぬ接点があったことを思い出したよ。

以前、ハワイのホノルル空港に、滅茶苦茶スタイルのいい、美しい東洋人の女性がいて、

「あそこに、モデルの小雪みたいな美人がいるぞ」

って言ったら、同行していたスタッフが**「本人です」**って、教えてくれたんだ。

---

**ハワイのホノルル空港**
コロナ禍以降海外旅行はされましたか？

**「ロケも行ってないね。コロナ前にギリギリハワイに行ったのが最後。それも仕事だけど。そもそもプライベートの海外旅行は家族と1回ハワイに行っただけなんだ」**

# どう？　この話？

## 4月5日（水）

今シーズンも、大谷翔平選手からは目が離せないよ。

開幕直後からホームラン連発してくれるからね。

実はこの適当日記の担当者から、「大谷選手のネタが多すぎませんか」って言われたけど、他に書くことがないからしょうがないよね。

だから、この先も、ずっと書くよ。

だって、何しろオレは、日本で盛り上がりまくっていたＷＢＣよりもメジャーで躍動する大谷翔平が好きなんだから。

大谷ネタが多すぎるって、文句があるなら、いっそ**「大谷翔平最後の適当日記」**ってことにして出せば良いよね？

そっちの方が、はるかに売れるよ？

---

**大谷翔平選手**
大谷選手の選手としての凄さはどこにありますか？

**「握手したけど握力がすごかったね。ってことにしといてくれる？」**

ただ、それだと誰に金が入るんだろう?
その点だけ、オレに文句を言ってきた担当者に確認だけ入れておくか。

## 4月6日(木)

忘れてた。

**「紳士服を着た変態」**

これが、今月のオレのキャッチフレーズってことで、お願いします。

## 4月7日(金)

一ヶ月に何度か、名古屋と大阪に仕事で行く。
以前は、収録が終わると飯を食って、クラブに飲みに行ったんだけど、

---

**クラブに飲みに**
コロナ禍明けでクラブにはまた行かれてますか?

**「こないだ知り合いが連れてってくれたけど、人の金で行った時は口説かないことにしてるんだ」**

ここ3年行っていない。

何しろ、番組スタッフが接客サービスのある店に行くことを禁止されているから、オレ1人でクラブに行っていられないじゃない？

まぁ、1人でクラブとかに行く客もいるけど、オレは、そんな剛の者じゃないから、飯を食い終わったら、部屋に戻るしかないわけ。

でも、夜が長いから、部屋で映画でも見るかってことになるよな。

すると、オレの好きな作品の傾向が、どうしてもホテル側にバレるよね。

だから、チェックアウトする度にいつも、**ちょっと顔が赤らむんだ。**

## 4月8日（土）

---

**オレの好きな作品の傾向**
どんなジャンルの作品が好きですか？

**「実は普通の趣味なんだけど、イメージがあるから『秘書もの』ってことにしといてくれる？」**

この前、日記にムツゴロウさんのことを書いたら、最近、お亡くなりになったので驚いた。
ご冥福をお祈り致します。

亡くなって、故人を偲ぶエピソードがいろいろ出てくるけど、新聞に「特に受験勉強もしないで東京大学に合格した」っていうくだりには、本当にビックリしたね。
オレは、現役と浪人の2年に渡って受験勉強をして、ことごとく全ての大学に落ちたのに。

ここは、ひとつ、このエピソードを前面に出して、「やっぱり高田は無知ゴロウ　動物王国」っていう番組でも立ち上げてくれないかな。

**ムツゴロウさん**
動物研究家で作家の畑正憲氏。4月5日に87歳で死去された。

## 4月9日（日）

4月に入ると、オレはカラオケで「思い出のアルバム」を歌わずにいられない。

で、自分で歌いながら泣くんだ。

歌っても歌っても、毎回、ポロポロ泣けてくるんだよなぁ。

今日も、5回歌って、全部泣いたからね。

**いや〜、スッキリしたよ。**

## 4月10日（月）

オレが、「思い出のアルバム」を歌うって言うと、みんな「なんでですか?」って聞くんだよ。

---

**自分で歌いながら泣くんだ**

最近泣いたことは?

**「ポリープを取り終えたときはうれしくて泣いたよ」**

オレにそんなことを聞く前に、自分で、あの名曲を聴いてみろ、って言うんだよなぁ。

あの曲を聴いて、泣かないやつは人間じゃないっつーんだよ。

## 4月11日（火）

もし、「思い出のアルバム」を聴いて泣かなかったやつがいたらオレに報告しろって言いたいね。

オレに言わせれば、それは、「思い出のアルバム」を歌っている歌手が悪い。

この曲は、いろいろな人が歌っているから、きっとハズレを引いたんだね。

「思い出のアルバム」という曲の素晴らしさを伝えきれていないせいで、泣けないんだよ。

だったらいっそ、オレが、昔、話題になった号泣議員並みに、君の耳元で号泣しながら「思い出のアルバム」を歌ってあげよう。

## 4月12日（水）

そうは言っても、「じゃあ、歌って下さい」とか、本当に来られるとオレも困るよ。

## 4月13日（木）

昨日も、大谷翔平選手の試合をテレビ観戦。

先発して、しかも3番を打つんだから、どんな仕事があってもこれを見なかったら人間じゃないとまで言い切るよ。

そうは言っても、この年でお仕事をいただけるだけでもありがたいので、オレの場合、とにかくギリギリまで見てから仕事に向かう。

でも、あと2人で「大谷に打席がまわる」なんて言うときは、イライラするね。

テレビ越しに、前のバッターに無意識に「おいおい、早く打てよ」なんて、つい声が出ちゃって、しかもその声が思ったよりもでかかったりしているみたいなんだ。

出かけるときに、リビングを通ると、女房がこれ以上ないほど冷ややかな目で、オレを見ているんだよ。

そういうときは「つい大きな声が出ていたんだな」って少し反省するんだけど、それにしても、あんな目で人を見なくて良いだろう、とも思うよね。

「冷ややかな目」って言うより、むしろ「さげすみの目」だね。

まさか、長年連れ添った女房から、あんな目で見られる日が来るとは思わなかったよ。



---

**女房**
奥様へ一言

**「どこか別のページに丁寧なメッセージがあると思うよ」**

**長年連れ添った女房**
奥様は高田さんのお仕事について何か言われますか？

**「仕事はなんにも気にされてないよ。偶然出てくるときはなんの気なしに見てるみたいね」**

初めてのデートのときは、上目遣いで、あんなに可愛かったのに。

いや〜、それにしても「さげすむ」っていう言葉を久しぶりに思い出したよ。


**そういう進歩のある一日だった**、って考えれば良かったかな。

どう？　僕って前向きでしょ？

## 4月14日（金）

そう言えば、うちの女房は、初めてのデートのときに、ノーブラに、ニットのセーターで現れたんだ。

しかも、バストが、凄いドッカンなんだぜ。

オレの記憶だと、当時のサイズは、上から100－60－95だね。

あんなの見せられたら、そりゃあ、誰だって飛びついて結婚しますよ。

---

**100－60－95**
女性の好みは変わりましたか？

**「変わらない。ケツがデカくて顔がそこそこならいいよ。おっぱいはちょっと当たるくらいでいいよ。ある分には困らないけど」**

でも、オレと結婚するまで、誰とも結婚していなかったわけだから、世間の男たちはオレと違って、案外冷静なんだな。

## 4月15日（土）

今日も、大谷翔平選手の試合をテレビ観戦。

しかも、今日は仕事がないから、エンゼルス戦を好きなだけ見られた。

でも、こういうときに限って、大谷選手の前を打つバッターが、クソボールに手を出して、簡単に凡退して、大谷にチャンスで回せなかったりするんだよ。

「おいおい！　クソボールだろう！」なんて声も出ちまうよね。

そういうとき、リビングにお茶を取りに行くと、いるんだよ。女房が……。

で、オレをチラッと見るわけよ。例の、これぞ「さげすみの目」で。

最近の人は「さげすみの目」ってなんだか知らないと思うから、「これがさげすみの目」ってことで、女房のあの目つきを写真入りで広辞苑に載せて欲しいくらいだね。

でも、広辞苑に写真は、入ってないか。

## 4月16日（日）

「書くことがない」

「日記なんて書けるわけがない」

「大谷選手の話題以外浮かばない」

って、毎日のようにマネージャーに言っているんだけど、その度に、

「前は書けたじゃないですか」

「15年前に出した適当日記を見返してみて下さい」

って言われるんだよ。

---

**15年前に出した適当日記** 読み返して一番印象に残ったのは？

**「表紙の天狗だね」**

その上、この前昔の適当日記と同じことを書いちゃったし、しょうがないから、**読み返したんだけど、これが面白いのよ。**

まだ、読んでいない人がいたら、是非買って読んで欲しいよね。

いや〜、それにしてもあんな面白い日記は、オレにはもう無理だよなぁ。ってことで、**もうこっちは止めませんか？**

## 4月17日（月）

そうだ。

15年前の適当日記は、表紙も評判が良かったんだ。

シックなバーで、文豪みたいな雰囲気のオレが、物思いにふけっている写真が表紙なんだけど、並外れて大きな帯を外してみると、**大変なこと**になるんだよなぁ。

---

**表紙も評判が良かったんだ**
今回の表紙写真のポイントは？

**「中身を読んでくれればいいよ」**

実際、この60歳のときは、天狗様のお怒りを鎮めるのに一苦労したね。

瞑想したり、水をかけたり、大変だったなぁ。

言っている意味が知りたかったら、前の適当日記を買って読んでほしいね。

## 4月18日（火）

しかし、今は、**天狗様もすっかり、丸くなって、**お怒りになることも少なくなったよ。

鎮めるのに一苦労していた、あの頃が懐かしいね。

あの頃みたいに、**真っ赤になって怒り狂って欲しいよ。**

---

**天狗様**
天狗様の最近の調子は？

**「鼻の角度は落ちてきたね。角度はマイナス5度くらいかな」**

# 4月19日（水）

前の適当日記を見返して気がついたんだけど、不思議なことに、**大谷翔平選手のことは、一行も出てこないね。**


あと、オレにはほとんど趣味がないし、自分のこと以外に興味がないってことに気がつくね。

実際、何かに夢中になることって、ほとんどないからなぁ。

そんなオレの目の前に、突然現れたのが大谷翔平選手だよ。

以来、夢中だからなぁ。

これって、ひょっとして、恋？
できるなら、朝、目が覚めたときに
「もしかして、大谷くんとオレが入れ替わってる？」

って、ならないかな？

でも、二刀流って、見ている分にはいいけどやる方は大変そうだから、大谷くんと入れ替わるのはキツいかな。

だから、この際、キツいのはなしで、富と名誉だけ、大谷翔平くんと入れ替わるっていう線で進めてもらえるとうれしいね。

## 4月20日（木）

「日記を書け」って言われて書いているけど、オレの毎日って、そんなにドラマチックじゃないんだよ。

ここまで、相当書いてきたから、みんな、もうわかると思うけど。

でも、別にドラマチックじゃなくてもいいから、スーパースターの日

---

**ドラマチックじゃない**
今日はなにかドラマチックなことはありましたか？

**「このインタビュー中の椅子がフカフカで腰が痛くなったよ。あとは大好きなかた焼きそばが食べられてうれしかったな」**

常を覗いてみたい、って言うことなんだろうね。
まぁ、それで仕方なく書いているわけだけど、今日は、本当に何もなかった。
強いて言えば、女房が買ってきたハムカツが美味かったってくらいかな。
で、「美味いな。これ、どこで買ったの？」って聞いてみたんだけど、

**無言だったよ。**

きっと、答える気分じゃなかったんだろうな。

**ずっと、そういう気分が続いているみたいだけど。**

で、みんな、本当に、**こんな日常を知りたいかな？**

# 4月21日（金）

このくらいの季節になると、良く鼻歌で出るのがビージーズの名曲「若葉のころ」だね。

でも、初めて聴いたとき「若葉のころ」なのに、歌い出しから「クリスマストゥリー」って歌詞が聞こえて不思議だったんだ。なんで、若葉のころにクリスマスなんだ？　って。

後に「僕がクリスマストゥリーよりも小さかった頃」っていう歌詞だったんだね。

この曲は、名画「小さな恋のメロディ」の挿入歌にもなっていて、思わず涙した人も多いんじゃないかな。

まぁ、**オレは、その映画、見てないんだけど**。

そして、オレは「枯れ葉の頃」を迎えた今になっても、小さな恋を咲かせようとしているよ。

---

**クリスマストゥリー**
「クリスマスツリー」を必ず「クリスマストゥリー」と発音しますよね。

**「その分『ディズニーランド』は『デズニーランド』って言ってるよ。英語がペラペラだからね。純次もジュンジ！って発音するよ」**

だからどうした、って言われると困るんだけど。
まぁ、今日は、こんなところだね。

## 4月22日（土）

今年のゴールデンウィークは、1週間後の29日から9連休らしい。
でも、ゴールデンウィークに入ると、どこも混むじゃない？
混み合うのは嫌だから、一足先に、ゴールデンウィークってことで、
**日記を休ませてもらうことにしました。**
9連休ってことで、次回の日記は5月に入ってから書くのでお楽しみに！
ババハーイ！

---

**ゴールデンウィーク**
長期休みをとられたことはありますか？

**「ないね。休んでると仕事なくなっちゃうからね。この仕事ついたときからずっとその不安はあるのよ」**

# 4月27日（木）

9連休するって宣言したけど、今まで続けてきたものを勝手に何日も休むと悪いことをしているみたいで、ドキドキして、一応1行だけでも書いておこうかな。

この小心者な性格のせいで、芸能界でイマイチのしていけないいんだな。

「原因は、性格じゃなくて、芸のせいだろ」

って突っ込まれているかもって、そういう心配もするから、オレはガツンといかないいんだろうな。

# 5月

## 5月1日（月）

ゴールデンウィークの混雑と、日記を休むのは何の関係もないって、担当者が怒っていたけど、休んじまったらこっちのもんだから。

ってことで、今月のオレは**「カモン！　ベイビー！　赤ん坊！」**ってことで、よろしくお願いいたします。

## 5月2日（火）

そう言えば、この前、春の叙勲が発表されたね。

オレは、もうだいぶ前に、戴いているので、関係ないんだけど。

それでも、またくれるって言うなら、いくらでも戴くよ。

でも、ケツ出したり、下ネタを言っていたりするから、もうもらえな

---

**下ネタ**
とっておきの下ネタをお願いします。



**「とっておきの下ネタって言われるとかまえちゃうよね。もっとこう、不意に言う方が相手を赤面させられるよ」**

いかな。

「ケツも大いに出したまえ！　下ネタもバンバン飛ばしなさい！　それを承知で、高田くんに勲章を与えます！　何なら国民栄誉賞も、差し上げましょう！」

っていう世の中になったら、**もう終わりだよ。**

## 5月3日（水）

今日は憲法記念日なので、**憲法について考えていたよ。**

もちろん全然わからないけど、考えるのは自由でしょ？

5月

## 5月4日（木）

今日は、みどりの日らしいので、**みどりちゃんのことを考えて過ごしたよ。**

どこのみどりちゃんかは知らないけど、ここまで長く生きていれば、きっとみどりちゃんの1人や2人、知り合っているんじゃないかな。

オレは覚えていないけど。

## 5月5日（金）

今日は、こどもの日だから、**子どものことを考えていたよ。**

「あぁ、オレの子どもは、2人とも40を過ぎたんだなぁ」

---

**オレの子ども**

お子様はお元気ですか？

**「お子様っていう年じゃないからなあ。オレよりは元気ってことでいいんじゃない？」**

ってしみじみ思えた一日だったな。

## 5月6日（土）

いや〜、日記、書きたくないなぁ。
これって、5月病かな。

## 5月7日（日）

名案を思いついたんだけど、今月いっぱい5月病ってことで、日記を書くの休むっていうのはどうだろう？

# 5月8日（月）

今日も大谷翔平選手の出場試合を見ていた。

日本じゃ、ゴールデンウィークは9連休とか、観光地に人出が凄い、とか言っているときに、大谷翔平は先月17連戦を投打の二刀流で出続けて大活躍。

そして、1日休んでまた9連戦ってすごすぎだよな。

オレも、ゴールデンウィーク前に勝手に1週間、日記を休んでしまったことを、今になって、心底、恥じている……ってことは別にないんだけど、文句を言わずに働かないとダメだな、とは少し思ったよ。

ただ、オレも、76歳だから、17日連続で働いて、1日休んで、また9日連続働く、とかいうのは、勘弁してほしいな。少しは休ませてくれないと。

逆にオレが、「休みなんて要らない、何日でも働くぞ」っていう気になったときは、きっと死ぬ直前なんじゃないかな。

ロウソクの火が消える直前に、急にでかくなる、ってやつだね。

まだ、死にたくないから、休み休みで仕事をしたいよ。**この日記も含めて。**

## 5月9日（火）

大谷翔平で思い出した。

この前、週刊誌に「あのパーフェクトな大谷翔平選手が苦手な物」って記事があって、読んだら、トマトらしいんだよ。

ますます親近感を感じたね。

オレも、ロケで、トマトを出されると**無口になるから**。

あと「女子アナの個別取材はお断り」らしい。

---

**トマトを出されると無口になる**
トマト、パクチー以外で苦手なものは何ですか？

**「カリフラワー、ニンジンもだめ。あと牡蠣。ココナッツミルクも。アサイージュース。ドリアン。それと19歳以下の女の子。そんなとこだね」**

これも同じだね。
まぁ、オレの場合、こっちは大歓迎なんだけど、**向こうが断ってくるんだ。**
でも個別取材が実現しないって言う意味では同じだから、いいよね。

## 5月10日（水）

トマトの他に、オレはパクチーも苦手なんだ。
死んだジイさんの遺言が**「パクチーと博打には手を出すな」**だったから。
まぁ、爺さんの時代にパクチーがあったとは思えないけど。

# 5月11日（木）

大竹まことが、文化放送で昼間に生放送をやっていて、オレもたまに呼ばれて、イヤイヤ出てやったりする。

まぁ、それは良いんだけど、オレが出ていないときも何の許可も得ないでオレのことをネタにして、よく喋っているらしいんだよ。

オレは、大竹の番組なんか聴いていないから、人づてに「高田さんのことを話していました」って、報告を聞くだけなんだけど。

ついこの前も、オレが、「府中3億円事件」の容疑者の一人で、警察の取り調べを受けたってラジオで言っていたらしいんだ。

本当に冗談じゃないよ。

確かに、事件当時出回った容疑者のモンタージュ写真も鼻筋の通った男前風だし、オレは、昔からバイクも好きでよく乗っていたし、何より



**大竹まこと**

大竹さんへ一言

**「昔はゴルフとか麻雀をやってたけど最近は会ってないな。しょっちゅう文化放送で見かけるけど声はかけないんだ」**

事件現場の向かいの府中高校の出身だけど、あれはそもそもオレが卒業してから起きた事件なんだよ。

　こっちは迷惑していたのに、そんな不確定な、大昔の話をまた生放送で蒸し返しやがって。あいつ、よっぽどラジオで話すネタがないんだな。

　これ以上、おかしな噂話が広がるのは嫌なんで、実際の話をすると、事件の後、あのエリアに、ローラー作戦で警察から聞き込みが入って、うちにも来たってだけなんだよ。

　オレはたまたまそのとき不在だったから、聞いた話になるんだけど、オレはあの通り、犯人像に近かったから、うちの母親が警察からけっこうしつこく聞かれたらしい。

　でも、うまいことはぐらかしてくれて、警察にはお引き取り願えたって言っていたな。

　その話を聞いて、しばらくは、オレも家のチャイムが鳴る度にヒヤヒヤして生きた心地がしなかったけど、もう来なかったね。

**府中高校**
どんな高校生でしたか？

**「すごい真面目な生徒だったんだよ。勉強はしたことないんだけど」**

おかげで、今も、こうして元気に暮らしている。
ただ、**もう2億8000万円使ったから、**長くない余命のうちに、あと2000万、使い切るよ。

## 5月12日（金）

高校時代で思い出したけど、オレが高校生の頃、生まれて初めてやったバイトが、立川にあった「多摩玩具店」っていうおもちゃ屋さんだった。

そこには、3人の娘さんがいて、みんな綺麗で「多摩玩具店の美人三姉妹」として、地元でも有名だったんだ。

こんな60年近くも前の昔のこと、ずっと記憶の奥に仕舞いっぱなしだったんだけど、この前「じゅん散歩」で立川周辺を散歩していたら、バイト先の多摩玩具店の美人三姉妹の長女の娘さんに偶然、会ったんだよ。

---

**多摩玩具店の美人三姉妹**

多摩玩具店の娘さんとお会いしてどうでしたか？

**「一番下の人の娘と会ったんだけどね。お母さんにはもう60年経ったから会わないほうがいいよね。自分と同い年以上の女性ともあんまり会ってないもの」**

いや〜、驚いたね。

当時、高校生だったオレより、3人とも年上だから、オレは、一方的にほのかな憧れを抱く「睾丸の美少年」だからさ。

まぁ、睾丸でもなきゃ、高校生だから少年って程でもないんだけど。

ただ、その娘さんに言わせると、高校生だったオレは、そのときからお調子者で、髭を生やしたお客さんとかを見ると**「あの人は、あんこ食べたんですか?」**とか言っていたらしい。

## オレの芸風が、60年前から進歩していないことに、ショックを受けたよ。

## 5月13日（土）

珍しく、すごくムカついたことがあって、そいつの悪口を書き殴った

---

**すごくムカついたことがあって**
最近腹が立つことは?

**「腹も立たないし、下も勃たないよ」**

けど、考えてみると、そんな内容の日記を晒すわけにもいかないので、お蔵入りにして、書き直している。

自分の日記なのに、本当に腹が立ったことは、書くに書けない。

それでいいのかな？

## 5月14日（日）

たいがい、嫌なことは一日寝れば忘れるオレだが、まだ頭にきている。

この怒りは、墓まで持っていく。

一生、忘れられないだろう。

## 5月15日（月）

忘れた。

## 5月16日（火）

夕方のニュースを見ていたら、どこかの定食屋のご夫婦が二人合わせて150歳で、若い人達のために美味しいご飯を安く出しているっていうのをやっていた。

「いいお年なのに、偉いなぁ。お元気で働いているなぁ」って、感心して見ていたんだ。

でも、オレも、視聴者からそういう目で見られているんだろうなって、後で気がついたよ。

オレに関しては「いい年なのに偉いな」って目で見る人はいないだろうけど。

## 5月17日（水）

そう言えば、オレが一番よく言われるセリフは、

「純ちゃん、いい年してよくやるね」

「いい年して恥ずかしくない？」

だな。

---

**一番よく言われるセリフ**

最近言われたセリフで印象的なものは？

「こないだロケで突然『おお！ジョニー・デップ！』って言われたよ。あんまりうれしくなかったよ」

## 5月18日（木）

いや、待てよ。

一番言われるセリフは、

「テレビで見るよりカッコイイ！」

だね。

## 5月19日（金）

いや、

「いつも見てるわよ！」

だな。

この一言を一番、言われるね。

## 5月20日（土）

「高田、何日にも分けて、そんなこと書いてんじゃねぇ」

って、みんな、読みながら思うんだろうなぁ。

## 5月21日（日）

しょうがないよね。
高田だもの。

## 5月22日（月）

広島G7サミットも無事に終了した。

まぁ、**オレ抜きで行われたわけだけど。**

これが、「高田ジュンG《ジー》7サミット」だったら、オレがメインで各国首脳と丁々発止のやりとりを展開したところだよ。

こんな与太話は必要ないですか？

## 5月23日（火）

今日は、ポール・アンカの来日公演を見に行く。

しかもたった一人で。

なにしろ、今どきポール・アンカのコンサートに誘っても、「行きたい」

---

**広島G7サミット**
政治について一言

**「（石原）良純に早く都知事になってほしいね。応援演説する用意はあるよ。頼まれる気しないけど」**

**ポール・アンカの来日公演**
ポール・アンカに一言

**「ばあさんとばっかりハグするんじゃない！」**

っていうやつなんてそうそういないもんなぁ。

年寄り二人で連れ立っていくのもなんだし。

ってことで、オレ一人で、東京ドームにあるホールに行ってくる。

来日したミュージシャンのコンサートなんて、いつ以来だろうか？

ちょっと、ワクワクする。

## 5月24日（水）

いや〜、よかったなぁ、ポール・アンカ。

オレ、最前列だったんだけど、ポール・アンカが急に客席から出てきて、歩きながら歌うんだよ。

当然、お客は、みんな握手を求めて手を出すだろ？

オレも、握手してもらっちゃったよ。

81歳と76歳の握手だぜ。

**合わせて157歳だもの。**

たまんないよね。

握手の瞬間、煙が出てきて、魔法が使えそうだったよ。

しかし、ポール・アンカも、バックのバンドも、お客も、ものの見事にみんなお年寄りばっかり。

ホールの中は、加齢臭が渦巻いて、空気清浄機がうなりを上げて動いていたよ。

それにしても、ポール・アンカは、あの年で、21曲歌いきったもんなぁ。大したもんだよ。

冥土の土産みたいな気分で行ったけど、また来てコンサートしてくんないかなぁ。

昨日は、みんなそう思ったんじゃないかな。

# 5月25日（木）

サミットも終わって、解散総選挙も近い、なんていう噂が流れている。

そういうのを聞くとソワソワするね。

また、あちこちからオレに、オファーが来るんじゃないかって。

でも、予め断っておくけど、オレは政治家になる気は毛頭ないよ。

本当に、毛頭、さらさらない。

ただ、一応、念のために言っておくけど、もしオレを大臣に据えるなら、**少子化担当大臣**がいいかな。

ほら、オレって、世間からはスケベって言うイメージがあるでしょ？

なんで、スケベが、少子化担当大臣に繋がるんだ、って聞かれると、それも困るんだけど。

この手の与太話は、怒られそうで、ちょっと怖いよね。

5月

# 5月26日（金）

世間は、コロナのことなんて忘れたみたいな感じになってきたね。

マスクをしている人が本当に減ったからなぁ。

しかし、コロナが流行してから、もう丸3年以上で、今まで、何波まで来たんだっけ？

東京だけで、一日に3万人以上も感染者が出ていた時期もあったし、芸能界でも感染者が続出したからなぁ。

職業柄、何度となくPCR検査、抗原検査を受けたけど、流行には疎いオレは全く陽性にならずに、乗り切れた。

やっぱり、すっかりジジイだから、病気でさえも最先端のものはオレに見向きもしないんだね。

昔ながらの病気、「イボ痔」とは長い付き合いだけど。

**コロナ**
コロナ禍はいかがでしたか？

**「神が人類にもたらしたことなのかもしれないけど、試練がきつすぎたよ」**

いつからか「ｗｉｔｈコロナ」が定着したけど、オレの場合は「ｗｉｔｈイボ痔」。

イボ痔と共に半世紀以上だから、もう、どの友達よりも長い付き合いだよ。

だから「イボジくん」は、ときどき、何の予告もなしに、フッとジュンジのケツから現れる。

「よぉ、ジュンジ」って。

「なんだ？　イボジ」

「遊びに来たぜ、ジュンジ」

って、感じだね。

でも、どんなに親しい友達でも、遊びに来られると都合の悪いときもあるわけだ。

そういうときは「悪いな、イボジ。今、ちょっとダメなんだ。また、今度」って、二本の指で、押し込むよ。

---

**ｗｉｔｈコロナ**

コロナ禍での良い思い出はありますか？

**「ないよ。日本のテレビで一番初めにフェイスガード付けてロケしたのが『じゅん散歩』らしいよ」**

すると、イボジも「わかった、また来るよ」って、帰ってくれるんだ。
この先、オレは何年生きるか判らないけど、一生「ｗｉｔｈイボ痔」で付き合っていくんだろうなぁ。

どうせなら、この手の与太話の方が、安心だね。

**ただ、ファンは確実に減るよ。**

## 5月27日（土）

イボジくんとの付き合い方だけど、家に居るときに、急に遊びに来られるときがある。
そういうとき、リビングに置いてある自転車のサドルのイスに、座ると、イボジくんは、何も言わずに帰ってくれるよ。

---

**イボジくんとの付き合い方**
長いお付き合いだと思いますが、一言メッセージを。

**「治療しないで快適に過ごさせてあげてるんだから、こっちの言うことはいつも聞いてほしい」**

このときは、お互い無言だね。

男同士の付き合い、って感じがするね。

## 5月28日（日）

ダービー。

オレにとって競馬は「当たるレースか、当たらないレースか」ってだけで、レースの名前には興味がない。

ただ、スマホに打ち込みをして、レースを見て「当たった、外れた」っていうことだけ。

そして、今日は**「外れてマイナスになった」**って、ただそれだけだね。

---

**競馬**
最近の競馬の調子は？

**「競馬はしてないな。こないだ中京競馬でプレゼンターをやったんだけど、そのときちょっと買ったんだ。トントン以下くらいだったよ」**

## 5月29日（月）

イボ痔　ピョコピョコ　みピョコピョコ
合わせてピョコピョコ　むピョコピョコ

早口言葉は脳トレになるから、オレは毎朝これを3回繰り返すよ。
でも夢中になりすぎると、本当にイボ痔がピョコピョコ飛び出すから
要注意だね。

## 5月30日（火）

そんなことを言っている場合じゃなかった。
オレ、モデルナのＣＭに出させてもらっているんだよ。

イボ痔の話をしている場合じゃないんだ。

CMって言っても、中華料理店で淡々と喋っているバージョンが2つで、CMって感じはしない、実にさりげないものだから、見ている人も驚いたんじゃないかな？

今日、番組のスタッフから、

「高田さん、モデルナのCM見ました。最初、何が始まったかわからないまま、引き込まれるように見てしまいました。さすがです」

って褒められて、気持ちよくなって、思わず、**同じセリフをおかわり**したよ。

## 5月31日（水）

今日で、5月の終わり。

5月31日ってことは、語呂合わせで「後妻の日」だよね？



**褒められて**
最近褒められたことはありますか？

**「『さすがです！』ってよく言われてる気がするんだけど、何のことかはさっぱり覚えてないんだ」**

だから、オレも、後妻をもらうことにしたよ。

ただ、その前にかあちゃんと離婚しないといけないんだけど、まぁ、世の中そう思い通りに行くほど、うまくはできてないよな。

でも、大谷翔平がホームランを打ったから、なんとなくいい日だったね。

# 6月

## 6月1日（木）

今日から6月。
今月は**「木も見ず　森も見ず」**。

## 6月2日（金）

オレが「あ、そう」っていう相槌を打つときは、人の話を聞いていないときらしい。

「高田さんは、人の話を聞いていないときには『あ、そう』って言うからすぐにわかります」

って他人に指摘されて初めて気がついたんだ。

でも、これを知り合いに言わせると「そんなの、とっくに気がついて

---

**人の話を聞いていない**

人の話を聞いているフリのコツを教えてください

**「首を上下に振ること。左右はだめだよ」**

いましたけど、高田さん自身は気がついていなかったんですか？」って
いう反応が多いんだ。
みんな、オレのことをよく知っているよね。
つくづく愛されているなぁ、オレって。

## 6月3日（土）

名古屋から大阪へ移動しなきゃならなかったんだけど、大雨の影響で、
名古屋駅でとんでもないことになったよ。
大阪に向かう新幹線に乗ろうとしたら人で溢れかえって入れないんだ。
新幹線がストップして、大阪に行くには臨時列車しかない。
しかも全席自由席。
当然、座れないから、ずっと立っていたよ。

6月

76歳のジジイにはキツかったけど、僕っていつも恵まれすぎた形で移動させてもらっているって気づかされたよ。

だから、逆に、感謝しないといけない。

そういう意味じゃこういう経験もありがたいと思わないといけないよね。


どう？　好感度もあがったかな？

## 6月4日（日）

そもそも、オレが名古屋に通っているのは、レギュラーをやらせていただいているからなんだ。

名古屋中京テレビの「PS純金」。

---

**PS純金**
PSシリーズの思い出は？

**「シリーズの一番最初のディレクターが今年ついに社長になったんだよ。それはうれしかったな。だからもういつやめてもいいんだ」**

純金って書いて「ゴールド」って読むんだ。

元々、『P.S.愛してる！』っていうタイトルで始まった情報バラエティーで、もうかなり長いよ。

1994年に『P.S.愛してる！』が始まって、『PS』『PS三世』っていうタイトルを経て、もう今年で、足かけ30年目に入るんだね。

この間、ずっと通い続けだから「名古屋に来るのももう飽きた」って、5万回は言っているね。

そうは言っても名古屋は良いところだし、大好きな場所で、情もある。

だから、やめるつもりは毛頭ないんだけど。

何より、PSに最初から出ているのはオレだけだし、このまま続けると何か良いこともあるかと思ってやっているよ。

それに、金曜の夜7時からのゴールデンの枠だから、オレの名古屋での知名度も、馬鹿にしたもんじゃないぜ。

1ヶ月くらい前だったかな。名古屋駅を降り立ったら、「高田さん、握手してください」

---

**握手してください**
握手は求められればされますか？

**「グータッチしてるよ。握手より楽だよ。ときどき間違って顔面に行っちゃうときもあるよね」**

6月

って、妙齢の女性が3人で駆け寄ってきてくれたから、「握手は1回50円です〜」って言いながらにこやかに握手していたら、2人目以降のおばさまが、**出していた手を引っ込めて**、ズンズン歩いて行ったからね。

オレの言うことを真に受ける人もいるんだなぁ、って、芸能人としての立ち位置の難しさを痛感させられたよ。

何より、いくら何でも50円より、**もうちょっと高く言うべきだった**って、未だに反省しているよ。

## 6月5日（月）

今日、仕事の現場にいたスタッフが、「これ、知っていますか?」って見せてくれたのが、去年、オレが、じゅん散歩の現場で名乗った自己

---

**自己紹介**

最近の自己紹介での一番の推しはなんですか?

**「『ジュンジタカダ、JTです。日本たばこ産業じゃないよ』。JTのCMお待ちしています」**

紹介についての統計だった。

今も、それが書かれた紙があるんだけど、「人名を名乗った回数が218回」とか、「人名以外の動物など」「その他」とか、細かくデータが取ってあるんだ。

他にも細かく分析してあって、ありがたいような、気恥ずかしいような気分だね。

なにしろ、こっちは、何も考えていない。

その場の思いつきもいいところなんだから。

「いつから、そうやって、適当な名前を言うようになったのか?」って、聞かれるけど、それも覚えていない。

「矢ケ崎留吉」は、もう芸能界に入る前から名乗っていたし、**嘘をつくのがオレの呼吸法**みたいなもんだからなぁ。

だから、オレのやっていることを冷静に分析されたり、理由を聞かれ

6月

**人名を名乗った**
今日の気分で名乗るなら?

**「こうでんすみつぐ。説明はいらないよね。デンゼル・ニューヨークでもいいよ」**

ると、

「普段、どうやって息をしていますか？」

って問いかけられるようなもんで、答えようがないよね。

## 6月6日（火）

ひとつ思い出したけど、東京乾電池に入った頃、芝居の稽古場でよく、
つかみのアドリブをかましていたなぁ。
「私、横井万蔵です。略して横マンと呼んで下さい」とか。
これが45年も前のこと。

あと、昔、日活ロマンポルノに出させてもらったことがあるんだけど、
濡れ場の撮影のときに、

**「高田さん、いつもの感じで、お好きなように」**

って言われたときは恥ずかしかったよ。

いつもの手順っていうか、性癖を知られるわけだから。

でも、もう76歳になってそういう恥ずかしさもどこかに置いてきたから、もしご依頼があれば、いつでも出たいね。

高齢化社会だし、76歳が主演のポルノ映画も需要がありそうだよね。

途中から、なんか違う話になった気がするけどまあいいかな。

## 6月7日（水）

1年くらい前になるんだけど、タレントの認知度をチェックするバラエティー番組に出させてもらったんだよ。

男女10人くらいのタレントが、スタジオにいて、ほぼ全員40代以上。

で、「世間の10代の若者は、このタレントの名前だけを見て、誰かわ

**76歳が主演のポルノ映画**
いまポルノ映画を演じるならどんなストーリーがいいですか？

**「俺が寝てたら急に迫られるっていうのがいいね。それで『キミキミいいかげんにしたまえ』って言うんだ。『もう少し寝かせてくれ』って」**

かるか?」っていうロケをやっていたんだけど、このとき、オレの認知度が60%も行かなかったんだよ。

これは少しショックだったんだけど、80歳以上を対象にした認知度調査では、ほぼ100%近く、認知されていたんだ。

「いつも散歩してるわね〜、純ちゃん。見ているわよ〜」なんていう意見が多くてさ。それはそれで有難いけど、何しろ80歳以上だよ?

「のびしろ」っていう意味では、ないわけじゃない?

10代の若者は、散歩と称して、ジジイがアチコチうろついている、あの時間帯の番組を見ているわけないもんなぁ。

だから、その番組の収録の帰り、マネージャーに、

「全国ネットのゴールデンのレギュラー、取れないかな?」

って言ったら、**「えっ?」って顔で、オレを見たんだぜ。**

タレントが「ゴールデンのレギュラーに出たい」って、当然でしょ?

なのに、あんな驚いたような顔をするって、マネージャーとしておかしい! って内心憤慨していたんだけど、あれから1年経った今にして

---

**全国ネットのゴールデンのレギュラー**

いま出たい番組、やりたい番組はありますか?

**「マウイが気になってるからハワイに行く番組。あとサンディエゴに行ける番組。サンディエゴ好きだから大谷はパドレスに行ってほしかったよ」**

思うと、マネージャーのリアクションが正しかったね。

## 6月8日（木）

蒸し暑くて、不快指数も高いこんな日は、不快なことを書いて、炎上しかねないから、この辺で筆を置くとするよ。

## 6月9日（金）

東京も梅雨入りしたから、日記は休むよ。

## 6月10日（土）

雨で、ブルーだから今日も、日記は休むよ。

## 6月11日（日）

この前、宝石店にロケに行って、そこの広報の女性に、

「高田さんは、昔、宝石を飲み込んでいましたよね？」

って言われた。

これは、未だに、色々な人から話題にしてもらえるロケだね。

「元気が出るテレビ」で、女優の清川虹子さんのお宅を訪問して、清川さんご自慢の高級な指輪を口に入れて、飲み込んだりした、オレがまだ40代になったばかりの頃にやったロケ。

「凄かった」「面白かった」「滅茶苦茶笑った」

とか言ってもらえて、それはそれでうれしいんだけど、だいたいその後には、

## 「なんであんなことやったんですか？」

って聞かれるんだよ。

そんなことを聞かれても困るよなぁ。

まぁ、あの頃はどうかしてたとしか、答えようがないよね。


あの頃って、テレビに出ていたわりに、「元気が出るテレビ」のギャラの大半は、**たけしさんと松方さんが持って行っちゃう**から、オレのところには、ほとんど入ってこなくて、本当にまともに暮らせなかったくらいなんだよ。

貧しさ故に犯行に走るケースってあるじゃない？

そこまでとは言わないけど、オレも、精神的には完全にいっちゃっていたね。

---

**たけしさん**
たけしさんとの思い出は？

**「元気が出るテレビに出してくれて感謝しかないね、今は。ギャラがないから貪欲にがんばれたよ」**

6月

そうじゃなきゃ、人の指輪を口に入れるなんて、汚いこと、やらないよ。いくら何でも。

今は、さすがにあの頃みたいなことはないから、そんな不潔な仕事はしないね。

ただ、この前、ロケで、歩いているうちに食べ物を道路に落としたんだけど、面白いかなと思って、口に入れて食べちゃったんだ。

でも、オンエアを見たらカットされていて、**涙が出たよ。**

## 6月12日（月）

文化放送で、週一のレギュラー番組を一緒にやっている漫画家の浦沢直樹さんが、デビュー40周年らしい。

で、「初期のURASAWA」っていう作品集をプレゼントしてくれた。

---

**カットされていて**　カットどころか、まるまるお蔵になったロケもあるのでは？

「ロケじゃないけど、主演映画『ホームカミング』が東日本大震災でお蔵入りになったんだ。今まで和田さん、ピン子さん、上沼さんとやってきたご褒美でこの映画で高橋惠子さんと夫婦役になれたんだ。あと『歌姫』で風吹ジュンさんと夫婦役になれたのもそのご褒美だろうな。地獄ばっかし歩いてちゃ可哀想だからって神様がやってくれたんだと思うよ。ああ、あとは『元気が出るテレビ』でヤクザが怒鳴り込んできてお蔵入りになったことがあるよ」

本当なら、オレがお祝いするところなんだろうけど、何故か、逆にもらっちゃったよ。

オレにとってのいい人の基準は**「おごってくれる人、いい物をくれる人」**なんだけど、浦沢さんは、自分の漫画やプレゼントを事あるごとにくれるから、そういう意味じゃ本当にいい人だね。

オレが「じゅん散歩」で描く絵をしょっちゅう褒めてくれるし、「じゅん散歩」で出した画集なんて、大絶賛してくれた。

しかも、光の描き方のコツとか、色の使い方とか、色んなテクニックも教えてくれる。

言わば、オレの絵の師匠なんだ。

オレのファンと称する人は、日本に数えるほどしかいないだろうけど、浦沢さんには、世界中にファンが多いから、その人が表立って「高田純次はオレの弟子だ」くらいなことを全面的に打ち出して、その上で、さらにケツからヤニが出るほど褒めてくれないかな？

そうしたら、オレの画集の売れ行きも、販売網も桁違いに広がるはずなんだよ。

本当に浦沢さんはいい人だって、これだけ言っているんだから、どうせならいい人ついでにそのくらい徹底してやって欲しいね。

## 6月13日（火）

昨日もテレビの前で大谷翔平選手にクギズケだよ。

19号、20号と連発。

しかも、19号は、１４０メートルの特大同点弾で、延長に入ってからの20号は決勝ホームランだぜ。

もう、どこまですごいんだろうか。

大谷が映ると、うちの40インチの画面が１００インチになるよ。

# 6月14日（水）

今日もロケだった。

ロケって言えば、

「高田さんは、テレビでケツを出して恥ずかしくないですか？」

って、真顔で聞くやつがいるんだ。

何を言っているんだ？　って言いたいね。

**カメラが回っていないのにケツ出してるほうがおかしいでしょ？**

そうしたら、

「ケツを出していても、普通の人は、そこにカメラが入ってきたら、ケツを隠します」

って反論されたよ。

なるほど、そういう考え方もあるのか、って思ったね。

---

**ケツを出して恥ずかしくないですか？**

いま高田さんが恥ずかしいことはなんですか？

**「76歳まで生きちゃったこと。1年生きるごとに恥の上塗りだからね。恥ずかしくなくなるのは死ぬときだね」**

「ケツが先か？　カメラが先か？」……これは、「鶏が先か、卵が先か？」みたいな、永遠のテーマってことで、今度、「朝まで生テレビ」で取り上げてくれるらしいよ。

## 6月15日（木）

そういえば、オレに、
「ロケでケツを出すっていう革命を起こした人だ」
って言ってくれた人もいたなぁ。
こんな程度じゃ革命でも何でもないよな。
でも、最近じゃ、っていうより、ここ何年もケツも出せなくなっているしさ。
もし、今許されるなら、オレはケツを出して、さらに出したケツで笛を吹くけどね。

---

**今許されるなら**
コンプライアンスを意識されていますか？

**「コンプライアンスがよくわかんないんだけど、やっちゃいけないことは注意してくれたらやらないよ」**

ここまで、やったら **「高田純次＝革命」** だよね。

ただ、**革命と同時に、オレの芸能生活も終わることになるよね。**

でも「高田純次、革命と共に死す！」っていうのもカッコいいか……。

よし！　じゃあ、こうやって引退しよう。

## 6月16日（金）

ここまで来て気がついたんだけど、オレの日記は「ケツ」と「痔」の話題が多すぎるね。

**これは、もっと増やしていかないと。**

## 6月17日（土）

岸田内閣は、解散しないらしい。

これで、オレの少子化担当大臣就任も先送りになった。

芸能活動に専念するよ。

## 6月18日（日）

昔は、何を、どう勘違いしたのか、何年かに1回、オレのところに「弟子にしてくれ」って来るやつがいたんだよ。

その度に、

「オレなんかから学ぶことなんて何もないよ」

「もっと売れている、面白い人の弟子になった方が良いよ」

「弟子を取れるようなタレントじゃないから」

ってお断りしてきた。

だから、オレには、弟子と言える人は誰もいないし、逆に師匠もいない。


で、「弟子入り志願者」も10年以上途絶えていたんだけど、陽気のせいなのか、この前、ついに久しぶりに来たねぇ。

どこで、オレのスケジュールを知ったのか、収録終わりで、

「高田先生！　弟子にして下さい！」

っていう、若者が……と思ったら、**すでに40歳を超えていたんだけど**。

「弟子にしてくれって言われても、オレももう80近いジジイだから、若い人に教えることなんて何もないよ」

って言ったら、

「私も40歳を超えていて若くないですから、そこは問題ないです」

って、それじゃあ、余計問題あるだろ！　と思ったけど、そこは、オ

**弟子入り志願者**
弟子入りしたらどんなふうに育ててくれますか？

**「金だけはふんだくるよ。あとは自分で育ってほしい。」**

レも好感度を気にするからグッと飲み込んで、以前と同じく丁寧にお断りしたわけ。

でも、相手も40を超えてオレのところに来るくらいだから、一筋縄じゃいかないっていうか、良い根性しているんだ。なかなか諦めてくれないんだよ。

「高田先生は芸能界の宝です」

「高田先生より面白い人なんて考えられません！」

「高田先生の存在は、大谷翔平と同じ革命です！」

とか、褒めまくるわけ。

オレも、大谷翔平まで持ち出されて、褒められたもんだから、嫌な気分はしなかったんだけど、弟子を取る気がないから、段々困っちゃってきたところで、

**「高田先生は、芸能界の生きる化石です！」**

って言われたんだ。

なんとかお引き取りいただいた後、マネージャーに、

「高田さんは、化石じゃないです。アレは、『生きるレジェンドです』って言いたかったんでしょうね」

って言われたけど、言われなくてもわかったし、ジジイだから、マネージャーが気を遣って慰めてくれているんだってわかって、むしろ少し傷ついたよ。

## 6月19日（月）

思い出したけど、弟子入り志願の男性に言われた、

「高田さんの存在は、大谷翔平と同じで革命です」

って一言は、やっぱり、ちょっとうれしかったんだな。

「大谷翔平と同じで革命かぁ」

昨日、ベッドに入ってから、その言葉を噛みしめちゃったよ。



**弟子入り志願**
絶対に弟子に来て欲しくないのはどんなタイプですか？

**「すぐテレビに出させてくれって言う人」**

## 6月20日（火）

今日は、スマホをなくしちゃって、必死で探したよ。
スマホ、スマホ……って、オロオロしながら。
でも、ふと気がついたら、探しているスマホを手に持っていたんだ。

**老いの恐ろしさを思い知ったね。**

## 6月21日（水）

そもそも、ガラケーからスマホに換えて、何年経つかな？
10年は経っていないかな。

まだ、そのガラケーも捨てずに持っているんだけど、実はそのガラケーにお気に入りの写真が入っているんだよ。

なんとか、その写真を取り出せないかと思っているんだけど、誰かやってくれる人、いないかな？

でも、**絶対に、その写真を見ないって、約束してくれる人じゃないと困るんだ。**

なにしろ、**オレももう少し芸能人を続けたいからさ。**

「決して写真を見ない」

もちろん、

「一切口外しない」

これを踏まえて、やってくれる人がいたらお願いしたいよ。

---

**お気に入りの写真**
ガラケーの写真は取り出せましたか？

**「まだだよ。でもよくよく考えると、ガラケーの写真って今見たら全部がモザイクみたいなものだよね」**

# 6月22日（木）

オレも、芸能生活は無駄に長いんだけど、この間、ほとんど同じようなことしかやっていないんだ。

多分、まぶたに目を描くっていうのは、40年以上前からやっているんじゃないかな？

で、誰かが、

「日本でまぶたに目を描いて、テレビで笑いを取ったのは、高田さんが初じゃないですか」

って言っていたんだよ。

こんなの「日本初」も何も、こっちは何も意識もしていないし、考えもしなかったんだけど、「高田さんが、パイオニアですよ」って言われると、悪い気はしないよね。

でも、こういうのって、そんなに評価はされないよね。

「日本で初めてまぶたに目を描いた先駆けとなるなど日本の芸能に大きく貢献したとして、勲章を授ける」

なんてことになるわけないし。

芸能界に入ってからいただいた賞は、**象印賞**だけだからなぁ。

## 6月23日（金）

今日は、行きつけの寿司屋に行って、愛人と美味い寿司をつまんできたよ。

寿司屋の名前は内緒だけど、安くて美味くて、とにかくネタが絶品なんだ。

だから、落としたいお姉ちゃんがいると必ずここに連れて行くんだよ。

寿司を嫌いって言うお姉ちゃんって、まずいないから。

---

**寿司屋**
行きつけのお寿司屋さんはどちらですか？

**「言えないよね。くら寿司ってことにしといてくれる？」**

で、もう10年くらい前になるかなぁ。

そのときに狙っていたお姉ちゃんを連れて、そこの寿司屋に行って、まずはビールで乾杯して、「さぁ、食おうか」っていう段になったら、そのお姉ちゃんがオレの耳元で、

「高田さん、私、今日、ノーパンなの」

って囁いたんだよ。


オレ、もうビックリしてさ。

聞き違いかとも思ったんだけど、「え？」って顔で目を丸くしていたら、

「履かないで来たの。パンティー」

ってまた耳元で囁いたんだよ。


もう、その日は、何を食っても、何の味もしなかったね。

ただ、「この子、今、ノーパンなんだ」って、それだけが頭を駆け巡っちゃって。

あんな美味い寿司でも、**ノーパンには敵わない**ってことだね。

しかも、最後に「嘘ですよ。ちゃんとはいていています」って言われたときには腰が抜けたよ。

つまり、何を言いたいかっていうと、**『寿司＜ノーパン』**っていう公式が成り立つっていうことで良いんじゃないかな。

## 6月24日（土）

「高田さん、『愛人と寿司屋に行った』とかは書いて大丈夫ですか？」

って、担当者から指摘されたけど、特に何の問題もないと思う。

ただ、そうやって心配するくらいなら、オレに問う前にカットしてくれればいいんじゃないかなぁ。

---

**ノーパンには敵わない**
ノーパンを上回る言葉はあるでしょうか。

**「ノーバン始球式」**

「大丈夫ですか?」って聞かれると、「もしかしてマズいのか?」って
不安になるんだ。

## 6月25日(日)

コンビニにいたら、

「あ! 高田さん、髭が渋〜い」

って、若い女性に褒められたよ。うれしくなって、

「あ、そう? これ、役作りではやしているんだ」

って言ったら、

「でも、まだ役は来ていないんでしょ」

って**先に言われたよ**。

しかも、

「わかりますよ〜。私が小学生の頃からそれ、言っていますもん」

ってダメ押しされた。

まぁ、オレは、好きなセリフは、何十年と言い続ける主義だけど、面と向かって言われると、こんなオレでも顔が赤らむね。

## 6月26日（月）

オレのスマホに「イケオジだと思う50歳以上の芸人ランキング」っていう記事が入っているんだけど、このアンケートの1位って誰だと思う？

わざわざ日記に書くくらいだから、当然「高田純次」なんだ。

それにしても、すごいでしょ？

だって、2位が「ヒロミ」で、3位がウッチャンナンチャンの「ウッチャン」だよ。

---

**ランキング**
どんなランキングに選ばれたらうれしいですか？

**「今は抱かれたいおじいさんベスト3には入りたいよ」**

どっちも50代なのに、オレは70代後半。

後期高齢者で、喜寿に向かって日記なんか書かされている、そんなオレが1位なんて、自慢もしたくなるでしょ？

でも、オレは昔から「年を取ったらしてはいけないこと」として、「説教　昔話　自慢話」って言い続けていたんだけど、その通りだね。

しょっちゅうこのスマホの記事を見せて自慢していたら、露骨に嫌な顔をされるようになったからね。

ほら、オレの言っていたことって、正しかっただろ？

まぁ、これも自慢か。

あと、一応断っておくけど、その「イケオジだと思う50歳以上の芸人ランキング」っていうアンケートは、２０２1年にやったもので、その後、去年、今年と似たような調査もあるみたいだけど、**最近の結果は、オレにとって都合が良くない物が多いんだ。**

だから、オレは、かたくなに、２０２１年版を信じて、周りの人間に未だに事あるごとに、それを、見せることにしているんだ。

## 6月27日（火）

オレが、芸能界で一番イケメンだと思った人は、長瀬智也くんだね。
昔、ドラマで一緒だったんだけど、背は高いしスタイルは良いし性格も良いし、とにかく、カッコ良かった。
今日は、長瀬くんの40歳の誕生日だから書いておいたよ。

**違うかもしれないけど。**

---

**芸能界で一番イケメン**
正直、自分より「イケオジ」だと思うのは誰ですか？

**「イケオジは舘ひろしだね」**

## 6月28日（水）

若い頃、特に10代、20代は傲慢だよね。
オレも当時は、

**「ここで勃たないと相手に失礼。でもこの相手で勃つと自分に失礼」**

なんてことを思っていたからなぁ。
今は、失礼も何も、誰に対しても、とにかく必死だよ。

## 6月29日（木）

オレは、そもそも、毎日楽しいことなんて、そうそうないって思っているわけ。

たまに楽しいことがあるから、喜びもあるわけだろ？

でも日記をつけさせられると、たまにあるはずの楽しいことも、「実は、ほぼ、ない」って気づかされることになるんだね。

これってキツいよね。

で、それでもまだ書かないといけないって、前世でしたことの罰なのかな？

## 6月30日（金）

今月の大谷翔平選手はすごすぎて、本当は毎日、大谷翔平のことばかり日記に書きたかった。

「今日もホームラン」

「打っては決勝打！　投げて勝ち投手」

**今月の大谷翔平選手**
メジャーリーグ以外で、何か詳しいことは？

**「ないよ。メジャーリーグも大谷と対戦するチームのことしか知らないよ」**

「週間MVP獲得」

「ホームラン固め打ち」

「オールスターファン投票ぶっちぎり1位」

「打っては、リーグダントツになる2本塁打、投げては7勝目」

とか。


「7回1失点12奪三振でも援護なく負け投手」っていう悲劇もあったけど、それも絵になるし。

最高峰の舞台で、世界中を湧かせる大谷こそ日記を書けば良いのに。

それに比べたら、オレが日記に残すようなことは何もないよ。


ってことで、オレの日記は、今月いっぱいにしてほしい。

# 7月

## 7月1日（土）

「大谷選手と比べること自体がおこがましいので、今月も引き続き書け！」

って、担当者に言われたよ。

## 7月2日（日）

今月は**「お先、まっ黒」**ってことで。

「お先、真っ暗」じゃないよ。

これだと、辛い一ヶ月になりそうでしょ？

「お先、まっ黒」

逞しいよね。

# 7月3日（月）

やっぱり、「お先、まっ黒。根元もまっ黒」にしようか。
もっと逞しいでしょ？

# 7月4日（火）

今日、街で同じTシャツを着ているやつと鉢合わせしたんだ。
そいつが「あ！」って顔をして、オレのことを確認してから、ニヤッと笑ったんだよ。
だから、その場で着ていたTシャツを脱ぎ捨ててビリビリに破いてやったぜ。
そいつ、ビックリしていたなぁ。

---

**同じTシャツを着ている**
ファッションのこだわりについて一言

**「年寄りだから清潔なものを着る。毎日着替えて、毎日風呂に入るのが大事だね」**

日記には、こういう波乱に満ちた内容も必要だよね？

## オレは、求められれば書くタイプなんだ。

## 7月5日（水）

まだ梅雨明けもしていないのに暑すぎる。
だから日記は、休むよ。

## 7月6日（木）

とにかく不快指数が高い。
不快だから、日記は休みにさせてもらいます。
でも、一言だけ。

大谷翔平くん、29歳の誕生日おめでとう。
こんな76歳の爺さんから、祝われてもうれしくもないだろうけど。

# 7月7日（金）

3月3日は桃の節句で、女の子の日。
5月5日は端午の節句で、男の子の日。
だから、今日は、何かの節句で、大人の日にすれば良いんじゃないの？
何の節句にするかは、任せるから。
そもそも、オレは、この節句って、なんだか知らないから。
でも、節句は知らなくても、セックスは、少しは知っているよ。

**オレも大人だから。**

---

**大谷翔平くん**
大谷選手には今後どんな選手人生を送って欲しいですか？



**「あと5年やって、その後は実業家になって欲しい。10年契約になると思うけど二刀流はしんどいと思うんだよ」**

7月

# 7月8日（土）

この前、ヴァイオリニストの高嶋ちさ子さんの番組に出させてもらった。

今やバラエティー番組でもすっかり人気者の彼女だけど、芸能界で最初に入った事務所がうちの事務所で、恩人ってことで、恩返しという形でオレを出してくれたんだ。

でも、自慢じゃないけど、このときの視聴率がすごく良かったんだ。

恩を返してもらうどころか、また恩を売っちゃったよ。

だから、そのうち、現金でまとめて返してもらうよ。

---

**うちの事務所**
事務所は引っ越しされたようですがいかがですか？

**「2階まで階段なのがしんどいんだ。エスカレータ作るほど金はないし。まあ1年で10回行くかどうかだからいいんだけど」**

## 7月9日（日）

今日は、7月9日で「泣くの日」だから、泣いて過ごしたよ。
でも、なんで泣いたかとか、今日が、本当に「泣くの日」なのかとかは、聞かないでほしいんだ。

## 7月10日（月）

今日は、納豆の日だから、納豆を食べたよ。
本当に「納豆の日」だし、本当に納豆を食ったから、それはそれでシャクなんだけど。

この日記、こんな本当のことを書いていいのかな。

## 7月11日（火）

### オレは、嘘が大嫌いなんだけど、平気でついちゃうんだ。

みんな、そのことを理解した上で、この日記を読んでいるんだよな？
そうじゃないと、オレもやってていられないよ。

## 7月12日（水）

暑くなってくると、フルーツ・ポンチが食べたくなる。
逆さに言うと、チンポ・ツールフ。
別に、逆さにする必要もないんだけど、それをやるのがオレだよ。

---

**チンポ・ツールフ**
逆さまにしたい言葉、他にはありますか？

**「竹藪焼けた。イタリヤコンマ」**

# 7月13日（木）

メジャーリーグのオールスター。

大谷翔平選手は、3年連続オールスター出場で、しかもアメリカンリーグの最多得票で出場だからなぁ。

しかも、打席に入る度に「シアトルに来て」の大合唱が起きるなんて、大リーグ通のオレでも、今まで見たことがない光景だったよ。

まぁ、誰が大リーグ通だって話だけど。


とにかく、もう、オレの手の届かない存在なんだって、つくづく思った。

それにしても、こう思っている人間が、世界中にとんでもなく沢山いるんだろうなぁ。

---

**メジャーリーグ**
他のスポーツで興味あるものはありますか？

**「ゴルフくらいだな。でも日本人が活躍しないと見ないよね」**

で、実際のところ大谷翔平くんのハートを射止めるのは、一体どんな人なんだろう？

こんなどうでもいい、大きなお世話なことを考えている人も、世の中には、とんでもなく沢山いるんだろう。

まぁ、よくわからなくなったけど、とにかく、大谷翔平はすごいってことでいいんじゃないかな。

## 7月14日（金）

最近、トラベルミステリーの再放送を、ＢＳでも地上波でも頻繁にやっている。

録画して２本まとめて見ちゃったよ。

いや～、自分で言うのもなんだけど、良い芝居していたね。

---

**トラベルミステリー**

トラベルミステリーで行きたい場所はありますか？

**「九州四国。行ってなかったから行きたいね」**

自分で言うのはなんだけど、って言いながら、他人が言ってくれないから、自分で言うよ。

## 7月15日（土）

オレの芝居を見て、また新作の出演依頼が来るんじゃないか、ってソワソワしてきた。

なにしろ「西村京太郎トラベルミステリー」は、去年の暮れに73作でファイナルだった。

オレとしては、まだまだやる気マンマンだけど、今さら「まだ、十津川警部のトラベルミステリーが続きます」っていうわけにはいかないだろうから。

そこで提案なんだけど、だったら、スピンオフで「亀井刑事のトラベルミステリー」っていう手で、どうかな？

頼まれたら、やるよ、オレ。

ただし、基本3行以上のセリフは覚えられないから、**セリフは短くしてもらわないと**。

見せ場の犯人の説得とか、謎解きとかで、長ゼリフは無理だから。

高橋英樹さんが、十津川警部で、良くこんなに覚えられるなっていう長いセリフを喋ってたもんなぁ。

あんなの、絶対覚えられないよ。

だから、オレが主演のトラベルミステリーなら、犯人の説得も「人間だもの」とか「仲良きことは美しきかな」みたいな、相田みつをが書くくらいの尺のセリフで、説得する設定にしてくれないかな？

優秀な脚本家の方、そこのところ、ひとつ、よろしく！

---

**高橋英樹さん**
演技以外で、高橋英樹さんの一番凄いところ、見習いたいところは？

**「高橋英樹さんは全部台詞を書いて覚えるんだよ。真似しようと思ったんだけど、書く時間のせいで覚える時間がなくなったんだ」**

# 7月16日（日）

昨日、セリフが短い役が良い、って書いたけど、「仲良きことは美しきかな」は、相田みつをの書じゃなくて、武者小路実篤らしいね。

担当者にやんわり訂正されたよ。


それはいいんだけど、青森の人って寒いから、一言一言がすごく短いらしいね。

「どこに行くんですか？」を「どさ？」

「お風呂に行くんです」を「湯さ」

みたいに。

だから、オレの役を「青森出身の刑事」ってことにして、ドラマを作ってくれないかな？

すると、すごい短いセリフで、演じきれそうでしょ？

7月

オレは、**自分が楽をするためのアイデアは、どんどん、湯水の如く湧いてくる**んだ。

## 7月17日（月）

あと、「亀井刑事のトラベルミステリー」は、そんなに旅をしなくていいよ。

オレ、痔だから、あんまり長いこと、列車に乗っているの得意じゃないんだ。

でも、そうなると「トラベルミステリー」じゃなくなるから、根本から見直すことになるのか……。

これは難しい問題だから、持ち帰らせてもらうよ。

# 7月18日（火）

今の若い連中って、映画も早送りで見たり、歌もすぐにサビが欲しくて、イントロなんか要らないって聞いてびっくりしたよ。

なにしろ、オレは、イントロ命だから。

森進一さんの「襟裳岬」なんか、パ～パパパパパ～ていうトランペットの音で始まるイントロ聴いただけで、おしっこ漏らしちゃうよ。

あとカスケーズの「悲しき雨音」。この名曲は、雷鳴から始まるんだけど、カミナリの音に続いて、イントロのメロディが流れると、漏らすものはおしっこだけじゃ済まないくらいだね。

もう、純次はダダ漏れだよ。

「タイパ」重視でこういう良さがわからない若い連中は可哀想だね。

知っているかな？　タイパ。

---

**タイパ**

最近覚えた言葉はありますか？

**「マッチングアプリ」**

タイムパフォーマンス、略してタイパだから。

これくらいわかっていないと世の中に乗り遅れるよ。

ただ、オレが、タイパを初めて聞いたのはカーラジオからだったんだけど、「最近の若い連中はタイパ重視」って言ったのを「パイパン重視」だと思っちゃったよ。

若い連中は、毛がないのが好きなのかと思って、

「オレと同じだ。オレも若いなぁ」

って言ったら、マネージャーが、バックミラー越しに、**うんざりした顔をしながら**、意味を教えてくれたんだ。

## 7月19日（水）

ずっと我慢していたけど、今日は大谷翔平について書くよ。

---

**マネージャー**
小山さんに要望があればどうぞ

**「納車したばっかりのかっこいい新車に乗せてください」**

だって、昨日3戦連続ホームランで、ホームランランキング独走の35号。

しかも、今シーズン7度目の、サイクルヒットへのリーチ。

おかげでチームは逆転サヨナラ勝ち。


もう、先月から、毎日大谷ネタを書いても良いくらいすごい活躍なのに、担当者が、

「大谷ネタに偏りすぎると高田さんの日記らしさがでないので、少し控えめに」

とか言ってくるから我慢していたんだよ。

大体、人に日記を書けって言っておいて、中身に注文つけるっておかしくない？

---

**高田さんの日記らしさ**
ご自身の思う「高田さんらしさ」とは

**「『冗談を言う』くらいかな。『飲み屋でちゃんとカネを払う』『ツケにしない』『食い逃げしない』のも俺らしさ」**

## 7月20日（木）

今思ったんだけど、そもそも、

「大谷ネタに偏りすぎると高田の日記らしくない」

って、オレが書きたいことを書けない日記こそ、オレらしくないよね。

くそ〜、言われたその瞬間に、なんで、このことに気がつかなかったんだろう。

## 7月21日（金）

しかし、散歩のロケをしていると、外国からの観光のお客さんが増えたのには驚くね。

どこに行っても、外国からのお客さんだらけ。

しかも、いろんな国から来てくれているのがわかる。

自慢じゃないけど、オレって英語がペラペラだから、ちゃんと、

「ウェア　アー　ユー　カム　フローム？」

って聞くようにしている。

あと、ご夫婦にはわざと、

**「シー　イズ　ユア　ドーター？」**


って聞くと、だいたい大喜びするね。

もっとも英語はペラペラだけど、意味はわからないから、ここまでで終わるんだけど。

でも、日本でタレントをやっているジジイに声をかけられたっていうのも、土産話のひとつにしてくれればいいんじゃない？

こうしてオレは、日本と外国の架け橋になっているわけだ。

だから、秋の叙勲の日を楽しみにして良いよね？

---

**英語がペラペラ**
ペラペラの英語で話したい人はいらっしゃいますか？

**「通訳の一平さん」**

7月

## 7月22日（土）

昨日と似たような内容を既に書いていたらしいけど、そんなこと言われてもわからないよなぁ。

**日記ってそんなもんだろ、**ってことで、諦めてもらわないと。

## 7月23日（日）

中京競馬場で行われた中京記念の表彰式でプレゼンターをやって来た。

実は、僕って中京競馬の広報大使も務めているんだ。

中京競馬場は今年70周年っていう節目の年だから、そのタイミングで、広報大使は光栄だよね。

もっとも、こっちは今年が生まれて76周年だから、中京競馬場よりも歴史があるんだけど。

表彰したのはセルバーグっていう馬に騎乗した松山弘平くんっていうイケメンの騎手で、平成生まれで初のGⅠを制したり、牝馬三冠にも輝いたすごい騎手らしいね。

オレ、競馬は好きなんだけど、全然詳しくないから。これを機会に、これからも松山騎手を応援することにしたよ。

オレが、馬券を買っているときは、どんどん勝っていて欲しいね。だけど、オレが、松山くん以外の馬を買っているときは、もちろん負けてほしいんだ。

## 7月24日（月）

うちは、スポーツ新聞は日刊スポーツをとっているんだけど、昨日の中京記念の表彰式の記事が写真入りで出ていたよ。

勝利ジョッキーの松山くんと握手をしている写真だったんだけど、彼の表情を見たらちょっと硬かったから、やっぱりオレじゃイヤだったのかな、って思ったよ。

そりゃあ、こんなジジイよりも綺麗な女優さんからの方が良いだろうけど、そこは少し我慢してもらわないと。

まぁ、彼だって「他の若くてもっといい馬に乗りたい」って思っているのに、ジイさんの馬に騎乗することだってあるだろうから、その辺は、わかってくれるよね。

あと、記事に「中京競馬場、毎週でも来たいです」ってオレのコメントが出ていた。

もちろん本心だけど、かといって、これを完全に真に受けて「高田、今週は来てねぇじゃねえか」「あのヤロー、また適当なことばっかり言いやがって！」とか騒ぎ出すのもやめてね。

この辺は、皆さんにわかって欲しい点だね。

---

**綺麗な女優さん**
一番美しいと思った女優さんは誰ですか?

**「夏目雅子さん。会ったことないけど。あとは沢尻エリカ、井川遥、内田有紀」**

# 7月25日（火）

サザンオールスターズが、デビュー45周年らしいね。

新曲のビデオを見たんだけど、これだけ長いこと一線で活躍し続けているのに、敢えてエロいビデオを発表するんだから、本当に凄いバンドだよなぁ。


「勝手にシンドバッド」でデビューしたのが、1978年でしょ？

オレも、この年にデビューしたから他人とは思えないよ。

何なら、今からでも遅くないから、**サザンオールスターズのメンバーに入れてもらえないかな？**

この声が、関係者に届きますように、って、七夕様にお祈りして寝るよ。

---

**デビュー45周年**
高田さんのデビュー50周年のイベントは何か考えていますか？

**「俺自身の世界一周旅行。ありがとう」**

# 7月26日（水）

七夕がとっくに終わっているなんてことは、指摘されるまでもなく、オレだってわかっているんだけど、オレの事務所の人間に、公式プロフィールでは「1977年に東京乾電池に参加」で、発表しているから、サザンよりもデビューが1年早いって指摘もされた。

でも、だったら、今からでもそのプロフィールを1978年に書き替えれば良いんじゃないかな。

どうせ、とっくに東京乾電池も辞めているんだから、劇団も気にしないって。

それより、ここは、サザンオールスターズに歩調を合わせる方が得策なんだよ。もっと大局的に世の中を見てほしいよね。

## 7月27日（木）

断っておくけど、オレは、損得勘定で動く人間なんだ。

みんな、知っていたと思うけど。

## 7月28日（金）

いや〜、今日は、「大谷選手のネタが多すぎる」って言われようが、ダメって言われてようが大谷選手のことを書かせてもらう。

だって、ダブルヘッダーで、1試合目はメジャーで初の完封勝利。

2試合目は2本塁打を放って、トップ独走だよ。

でもさすがに疲れたのか、足を痙攣させて交代していた。

気の毒で、散歩で鍛え上げたオレの自慢の足と交換トレードしてあげ

---

**散歩で鍛え上げたオレの自慢の足**
実際、散歩で歩かれるのはしんどいのでは？

**「なるべく50段以上の階段は上らせないでほしい」**

たいくらいだったよ。誰も望まないトレードだろうけど。

そしてエンゼルスからの移籍話も消えた。
ホッとしたよ。
どうしてもエンゼルスにこだわるわけじゃないけど、下手なチームに
行くと二刀流ができなくなる可能性だってあるから。

ってことで、今日はめでたい。
来年から7月28日を**「大谷の日」**ってことで祝日にしてもい
いんじゃないかな?

## 7月29日(土)

スポーツ新聞もニュースも大谷翔平一色だね。

現地のキャスターが、あまりの活躍ぶりに「賞賛の言葉が尽きた」って言っていたし、敵地のデトロイト・タイガースの地元でも絶賛の嵐だった。

しかし、賞賛の言葉が尽きた、なんて言われてみたいよ。オレなんか、街で「純ちゃん、テレビで見るよりカッコイイ」て言われただけで、ちょっとどこかが濡れるくらいに喜んでいるジジイだから、ここまで褒められたら、きっと死んじゃうだろうな。

## 7月30日（日）

福岡で世界水泳をやって盛り上がっていたけど、オレもテレビ朝日で「じゅん散歩」っていうレギュラー番組を持っていて、ゲストとしてオリンピックの金メダリスト、鈴木大地さんが来てくれた。

水泳の金メダリストって、岩崎恭子ちゃんの「今まで生きてきた中で一番幸せです」とか、北島康介さんの「何も言えねぇ」とか「超気持ちいい！」とか、インタビューでの歴史に残る名言が多い。

でも、スポーツ庁の長官まで務めた鈴木大地さんの名言はまったくオレの記憶になかった。

で、今回ゲストに来てくれたので、昔のＶＴＲを見たんだけど、あの人、金メダルを取った直後のインタビューで、「今の気持ちは？」っていう質問に、

「うれしいに決まっています」

「勝因は？」って聞かれて、

「見ていてわからなかったんですか？」

って答えているんだよ。

あの映像を見てビックリしたよ。

あれだけトンガリ過ぎていたら、語り継がれないよなぁ。

でも、ある意味、歴代のどのコメントよりも名言だと思うけど。

---

**歴史に残る名言**

高田さんの名言といえば？

**「この箸で美味しいものでも食べたまえ」**

オレだったら、金メダルを取った直後、なんて答えるだろう？

やっぱり、どうしても、うれしい、気持ちいい、最高、みたいなコメントになって、鈴木大地さんみたいなすごいことは言えないだろうな。

だったら、北島康介さんのコメントを凌ぐような、ものすごく気持ちいい！　っていう方向で言いたいね。

北嶋康介が「何も言えねぇ」「超気持ちいい！」なら、高田純次の場合は、

**「く〜〜！　もう辛抱たまらん！」**

が、一番気持ちいいときのコメントなんだけど、これでどうだろう？

「く〜〜！　もう辛抱たまらん」って、「超気持ちいい」みたいに流行るかな？

7月

# 7月31日（月）

もう7月も終わりだよ。

しかし、暑い日ばかり続いたよなぁ。

しかも世界中が、暑すぎるわけだろ？

どこかの偉い人が、「この暑さは、これからはアブノーマルじゃなくてニューノーマルだ」とか言っていた気がする。

とにかくそのくらい暑いってことでしょ？

オレは、アブノーマルからニューノーマルへ、みたいなキーワードだけに反応するけど、**ニュースの本質とか内容は理解していないから話は薄いよ。**

---

**暑い日ばかり続いたよなぁ**

今年の猛暑、対策は？

**「全裸で家にいること」**

# 8月

## 8月1日（火）

今月は「来る者拒まず　去る者追う」。

## 8月2日（水）

世の中、負けず嫌いって言う人は多いけど、「負け好き」って人は、まずいない。

でも、オレ自身は「負け好き」でもいいと思っているんだ。

といってももちろん、勝つことが嫌いなわけじゃないし、勝ちたい。

勝つことが嫌いなんじゃなくて、勝つためにムキになって努力するのが嫌いなんだ。

そんな努力をするくらいなら、勝ちを譲った方が良い。

それに勝ちを譲ることで、後々何かを譲ってもらえることがあるんじゃないかなぁって、考えちゃう。

だから、オレは「負け好き」の人生も悪くないと思っているんだ。

## 8月3日（木）

昔、金がない頃は、石とか砂利を食って生きてきたわけだけど、その頃に比べれば、今は、ちょこっと成功した方だろう。

でも別に、ここに来るために努力したわけでもない。

なにしろ、努力が好きじゃないから。

ただ、他人よりも少しだけ楽しく生きようと思っていたかもしれない。

まぁ、その結果、小さい成功に結びついたのかは、わかんないけど。

---

**ちょこっと成功**
芸能界で成功したと思えたのはどの時期ですか？

**「紫綬褒章もらったとき。もらってないけど。やっぱり象印賞もらったときかな」**

## 8月4日（金）

「願いが叶う」とか「夢が叶う」っていう類いのノウハウ本が沢山出ているのは、みんなの夢や願いがいかに叶わないものか、っていう証明だよね。

だから「諦めなければ願いはきっと叶うはず」とか「夢は諦めちゃダメ」なんて軽々しく言うのは、ある意味無責任だよね。

## 8月5日（土）

ここ数日、暑さのせいで**どうかしていたようだ**。

オレのキャラクターにないことを書いちまったよ。

お詫びに明日からの2日間、**謹慎として**日記を休むよ。

---

**願いが叶う**
現在の願い、夢は何ですか？

**「健康で朝起きられること。あといま急に思いついたけど、浜辺美波と食事することかな」**

## 8月8日（火）

謹慎は明けたけど、いきなり走り出すとアキレス腱が切れるから、このくらいのスタートにしておこう。

## 8月9日（水）

挙動不審の変態は捕まるけど、堂々とした変態は捕まらない。

## 8月10日（木）

本当は明日入る予定だったんだけど、「チケットが取れないから」っ

8月

て言われて、名古屋に前乗りしたよ。

世間では、明日からの3連休にお盆休みもくっつけての6連休の人もいるって言うんで、新幹線のホームはさすがに人が多かったなぁ。

それだけ、人が集まるっていうのは、魅力のある場所だからなんだろうね。

でも、逆に過疎で困っている地方も一工夫すれば人が集まると思うよ。

オレが、観光目的のお客を呼びたい村や町の長なら、**「信号が赤になったら、みんなが服を脱ぐ」**っていうローカルルールを作ろうと思うんだけど、どうかな？

きっと観光客が殺到すると思うよ。

## 8月11日（金）

どう？

# そろそろオレのキャラクターに戻ったかな？

## 8月12日（土）

茅ヶ崎を散歩したときに「加山雄三通り」を歩いた。

今、オレは「じゅん散歩」っていう番組をやっているけど、オレの前の散歩人が「若大将のゆうゆう散歩」をやっていた加山雄三さんだから、その名がついた雄三通りを歩きながら、そのうちオレの地元の国領のどこかに**「純次通り」ができたらどうしよう**、なんてスケベ心が湧いてきた。

ただ、オレの地元には、未だに同級生がいっぱい住んでるんだよなぁ。

連中のことだから「純次通り」なんていう看板を見たら、そこに「バカ」とか「スケベ」とか、**「国領の恥」**とか落書きしそうだから、やっぱり止めておこう。

---

**地元の国領**
国領、駅前を中心にすごいことになっていますが行かれましたか？

**「全然行ってないんだけど、実家売るんじゃなかったな」**

## 8月13日（日）

でも、オレの同級生ってことは、76歳なんだよなぁ。
76にもなって、いくらなんでも、そんなことはしないか。

## 8月14日（月）

僕って、いい男だから、お笑いをやるにはハンデじゃない？
でも、その分、他の仕事をやらせてもらえたりするんだよね。
そのひとつが、ファッション雑誌のモデルだね。
あれ？　聞こえなかったかな？
モデル！　モデルの仕事！

---

**ファッション雑誌のモデル**
モデルの仕事で気をつけていることは何ですか？

**「一日の食事を5回に分けてちょっとずつ食べる」**

断っておくけど、プラモデルじゃないよ。

今、発売中のキャンキャンで、中条あやみさんっていうトップモデルとの共演で、モデルをやらせてもらったのよ。

まぁ、中条あやみさんの相手を張れるモデルなんてそうそういないから、オレに白羽の矢が立ったっていう理解で間違いないんじゃないかな。

撮影当日のことは、言われるがままだったから、あんまり覚えていないんだけど、とにかくオレが、彼女の上司の部長として適当なことを連発して困らせるみたいな設定だった。

**76歳で現場の部長っていうのも、出世していいるんだか、していないんだかわからないよね。**

その設定が腑に落ちていなかったせいで、オレのモデル魂にもイマイチ火がつかなかったんだけど、写真を見て、ほとんど刺身のつま的な扱いだったから、問題なかったよ。

8月

これからも、モデルとしての仕事もどんどんこなしていきたいね。

## 8月15日（火）

おいおい、お盆休みを取らないと。
3日間休むよ。

## 8月19日（土）

担当者に「今月の初めに3日間休みましたけど」って、嫌味を言われたよ。
「その分、明日から今まで以上に頑張ります！」って土下座しておいたよ。

---

**担当者**
担当者に一言

**「80まで生きるのでもう一冊作りたい。80で引退するから。81歳でカムバックするけど」**

**8月20日（日）**

「ア」

**8月21日（月）**

「イ」

**8月22日（火）**

「ラ」

**8月23日（水）**

「ブ」

**8月24日（木）**

「大谷」

**8月25日（金）**

「ショ」

## 8月26日（土）

「ウ」

## 8月27日（日）

「ヘイ」

## 8月28日（月）

ワイルドカード進出に向けて、エンゼルスで孤軍奮闘している大谷翔平選手を、オレがいかに応援しているか1週間に渡って日記につけてみた。

ちょうど甲子園で、高校野球もやっていたから、スタンドの人文字風にしてみたんだけど、わかってもらえたかな？

ひょっとして、高田の野郎、またサボってやがる、なんて思われたら実に心外だけど。

ところが、大谷翔平への応援どころか、この間に右肘靱帯の損傷が見つかって今シーズン、もう投手としてマウンドに立てないって、とんでもないニュースが入ってきちゃったよ。

オレもそれを知ったときには、すごい衝撃を受けたんだけど、この日記を毎日書いているわけじゃないから、それについて日記に残すことはできなかったんだ。

まぁ、毎日書いてないって、とっくにバレてるだろうから、別にいいよね。

---

**スタンドの一文字風**
一文字ずつの日記、どういうつもりですか？
**「どういうつもりも何も、日記の内容は９割方覚えてないよ」**

## 8月29日（火）

高校野球って言えば、この前の決勝戦、仙台育英対慶應義塾の試合は手に汗握ったね。

オレも、決勝の舞台で躍動する自分の母校を声の限りに応援したよ。

どっちが母校なんだ？　って聞かれたら想像にお任せするけど、みんなが想像したとおり、「どちらでもない」が正解だね。

## 8月30日（水）

「高田さんは、心がないから怒ることもないんじゃないですか」

っていうのは、よく言われる。

でも、オレにだって、心はあるよ。

**ないのは、「暖かいハート」と、「人を思いやる心」**だね。

ってことで、心はあるから、怒ることもあれば大声で怒鳴りつけることもあるよ。

最近怒鳴り散らしたのは、ある撮影スタジオでのことだね。

トイレで大をして、ウォシュレットを使ったら、悲鳴が上がるほどの激痛が走ったんだ。

見たら、水の勢いが「最強」になっていたんだよ。

とんでもない水圧が、オレの最大の弱点に集中していたわけだ。

「バカヤロ〜〜！　どこのどいつだ！　許さねぇぞ！」

でも、撮影スタジオだから誰にも聞こえないようにトイレットペーパーを丸めて口に入れてから、叫んだんだ。

だから、ストレスは溜まる一方だね。

---

**水の勢いが「最強」**

反対に、ウォシュレットを使わないとどうなりますか？

**「その後の撮影は無口になるよ」**

# 8月31日（木）

「コンサートよりもインサート」。

今月はコレだよ。

でも、せっかく9月の目標として、これを書いたのに、まだ8月31日だったんだね。

今年から8月も30日までってことにしてくれないかな。

大谷翔平選手へ

「近々
お会いすると思いますが
何がほしいか
考えてください」

# 9月

# 9月1日（金）

## 「コンサートよりインサート」。改めて書くよ。

そう言えば、この前、米米CLUBのコンサートを横浜みなとみらいに見に行った。

でも、その帰り道、インサートはしないで帰ったからその日は「インサートよりコンサート」だったね。

カールスモーキー石井さん、ご招待ありがとうございました。素敵なコンサートでした。

でも、やっぱり、本当は、コンサートよりもインサートの方が良いかなぁと思う76歳のオレだよ。

# 9月2日（土）

そういえば、残っていた大腸のポリープも全部取ったんだ。

先月のいつだっけかな？　先々月だったかも。

7個残っていたらしい。

いや〜、さっぱりしたよ。

でも、こういうことこそ、日記に書けば良いんだろうけど、その日のうちに書いているわけじゃないから忘れるんだ。

# 9月3日（日）

オレの大腸のポリープが見つかったキッカケは、前に書いたとおり75歳の記念に生まれて初めて受けた人間ドックだった。

---

**人間ドック**
その後人間ドックは受けていますか？

**「面白いこと言いたいけど、身体のことは気をつけてるんだ。いざというときのために」**

本当に生まれて初めてで、それまで健康診断なんて一度も受けてこなかったんだけど、それを言う度に、みんなから、寄ってたかって、

「嘘でしょう?」

「あり得ない」

「良くそれで大丈夫でしたね」

「まさに適当男の真骨頂ですね」

「そんなことってあります?」

「奇跡としか言いようがないです」

とか、えらく驚かれたんだけど、それを聞いてから、なんかすっかり怖くなっちゃって、ちゃんと定期的に健康診断を受けることを決意したよ。

だからもう、「適当男」じゃなくて、普通のジジイになっているんだ。

つまり「最後の適当日記」じゃなくて「最後の普通のジジイ日記」なんだよ。

なので、この辺で、日記を止めてもいいですか?

---

**普通のジジイ**
年を取ってよかったと思うことはありますか?

**「映画が安くなったこと。あと昔は3回目のデートで女性を抱いてたけど、時間があんまりないから最近は2回目に抱いてるよ」**

# 9月5日（火）

「人間ドック」で思い出したんだけど、知り合いのクリニックの先生から、

**「高田さん、この際だから脱毛しませんか？」**

って、言われたんだ。

いわゆるアンダーヘアの辺り。

オレが、ずっと覚えられなくて、「MVPゾーン」って言う度に「VIOゾーンです」って、周りから訂正されるんだけど、そこをツルツルにしませんか？　っていうわけ。

脱毛するときに痛くないか心配だけど、先生は「痛くない」って言うし、それをやって、何が得なのか聞くと

**「介護のときに、衛生的に保てます」**って。

この歳になると介護を持ち出されると心が揺らぐんだよね。

しかも、アンダーヘアがなくなると、自分で、上から見たときに、邪魔になっていた毛がないから、すごく大きく見えるらしいのよ。

　これを知って、もうちょっとで「やります！　脱毛して下さい」って言うところだったけど、思いとどまったよ。

　他人が見て「おぉ！　でかい！」って思うならいいけど、自分から大きく見えても意味ないもんなぁ。

　それに、オレのアソコがツルツルだと、ゴルフの後、クラブハウスの風呂で、みんながギョッとして見そうじゃない？

「注目されてなんぼ」「笑われてなんぼ」だとは思っているけど、まだその笑いの取り方は取っておきたいなと思って、去年は、断ったよ。

　でも、風呂に入る前に洗面所の鏡にオレの裸が映る度に「これがツルツルになるのかぁ」って想像しちゃうよね。

　だから、脱毛を持ちかけられて1年経った今でも、心は揺れているよ。

---

**オレのアソコ**
長い付き合いのアソコに一言

**「付き合いほど長くないね」**

## 9月6日（水）

オレって、昔から、風呂に入ったとき、自分のモノを股間に挟んで、女性の気分に浸る癖があるんだ。

昨日の日記を読み返して、**ツルツルにしたら、どうなるんだろう**って、改めて思ったよ。

## 9月7日（木）

今日は、台風で名古屋に前乗りしたんだけど、そこのスタッフに、

「高田さん、おしっこは立ってしますか？」

って聞かれたから、

**「立ってしたら顔にかかるだろ」**

9月

って答えたんだけど、立つのは身体のことみたいだね。

てっきり、おしっこの話題だから、違うところが立つのかと思って、つい見栄を張って、顔にかかるって言ったんだけど、今じゃ、立っても顔にかかるような角度じゃないんだ。

なんか、今日は夏の終わりの「最後の適当日記」にふさわしい、寂しい内容だよね。

## 9月8日（金）

カーラジオから、宇多田ヒカルの「オートマティック」が流れていたけど、そう言えば、彼女、今年で40歳らしいね。

低い天井の場所で、くねくね踊りながら歌っていたのが15歳だったわけでしょ？

あれから25年、四半世紀も経ったんだから驚くよね。

「アメリカで生まれて育った、すごい才能の15歳の女の子がデビューした」

っていうんで、ものすごい社会現象になっていたけど、最初テレビに出なくて、出演はラジオだけで謎めいていたんだよなぁ。

オレは、その頃から文化放送でラジオのレギュラー番組を持っていたんだけど、

「高田さん、今、評判になっている宇多田ヒカルって知っていますか？彼女が、今、来ていますけど、見てみますか？」

なんて言われて、野次馬根性出して彼女のいる別スタジオに見に行ったんだよ。

そうしたら、小柄な可愛らしい女の子で、まさに、天井の低い場所でくねくね腰を回していたその子がいたんだよな。

オレも、「へ～、この子が、今話題の宇多田ヒカルかぁ」なんて思って、

9月

遠くから見つめていたら、紹介されちゃったんだよ。

アメリカで生まれて育ったって聞いているから、オレのことなんて、どうせ知らないだろうって思ったから、紹介されて恐縮しちゃってさ。

「知らないと思いますけど、高田純次って言います。知らないですよね」

って、やけに卑屈に挨拶したのを今でも覚えているんだ。

ところが、

「知っていますよ～。有名ですよ～、高田さん。よく見ています」

って言われたんだよなぁ。

あの頃、オレ、50を過ぎていたのに、15歳の女の子に「知っている」って言われて、うれしくて、ポ～っとして顔を赤らめながら**「僕の車もオートマチックです」**ってつまんないこと言っちゃったんだけど、笑ってくれたよ。

で、もちろんこのとき以来ずっと彼女のファンなんだ。

って、この話がまわりまわって本人に伝わって、オレに曲でも書いてくれないかな。

すごい売れそうで算盤弾きたくなるんだけど、そもそも、彼女の作った歌を、オレが歌えるんだろうか？

とにかく、そうなったら技術の粋を結集して、上手く聴こえるようにしてもらわないと。

宇多田ヒカルが作詞作曲した曲を、オレが上手く歌っているように聞こえたら、**録音技術に不可能はない時代が来た**ってことだろうね。

## 9月9日（土）

「芸能界に敵がいないでしょ？」

っていうセリフもよく言われるね。

多分、オレのポジションが曖昧で、ぼんやりしているから、誰にも相

---

**芸能界に敵がいないでしょ**　芸能界でのライバルは誰ですか？

「マイク・トラウト」

手にされていないと思われているんだろうな。

オレもなめられたもんだぜ。

でも、こうして、45年近くも芸能界の片隅に身を置かせてもらっていると、実際、その通り。

誰にも相手にされていないんだろうなぁ、って、しみじみ思うね。

## 9月10日（日）

そんなオレでも敵が一人もいないかって言うと、そうでもない。

けっこう敵はいるよ。

っていうより、オレを憎んでいる人がいるんだ。

例えば、元シブがき隊のヤックン。

以前、ヤックンの家にお宅訪問のロケをさせてもらったんだ。

長いこと、「ぴったんこカン・カン」っていう番組で一緒だったから、
その縁で、「最初で最後のお宅訪問」ってことだったんだけど、都内の一等地にある、とてつもなく広いリビングの大豪邸なんだよ。

しかもそこに、外国製の高級なソファがあるわけ。何百万もする代物。

そうしたら、現場のスタッフが、

「高田さん、ケツ丸出しで、あのソファに座っちゃいましょう」

とか言うわけ。

いくら何でもまずいだろと思ったんだけど「大丈夫、大丈夫」って、やけに自信ありげだったから、オレも調子に乗って、つい……。

いや～、放送の反響は大きかったみたいだけど、失うものも大きかったよね。

ヤックンからの信頼ってものを失ったからね。

まぁ、元から信頼なんかされていないか……。

---

**ケツ丸出し**
丸出しもそろそろきつくないですか？

**「ケツ丸出しなんて恥ずかしくないよ。この年になると顔丸出しのほうがきついよね」**

# 9月11日（月）

この前、関東に台風が上陸して、やることがなかった日に、昔の『適当日記』を眺めていて、驚いたね。

「愛人が何人いる」とか、「大阪のクラブのお姉ちゃんを名古屋に誘った」とか、「バイアグラを飲んだ」とか、とんでもなく赤裸々に書いているんだよ。

あのときはまだ若すぎて、書いて良いことといけないことに区別がついていなかったのかな？

**まぁ、若いって言っても、60を越えていたんだけど。**

それとも、そもそも出版されるってわかっていなかったのかな？

今とは、時代が違うって言っても、いくら何でも、あんなこと書いてちゃアウトだろ。周りもよく、そのまま本として出したなぁ。

---

**そのまま本として出したなぁ**
今回もそのまま本になりますがよろしいですね？

**「オレはまったく問題ないよ。そっちは大丈夫？ 会社の信用をなくしてないならいいんだけど」**

いずれにしても、正気の沙汰じゃないよね。

## 9月12日（火）

もうひとつ、驚くのは、あんな日記を出しておいて、当時、どの芸能マスコミにも追いかけられなかったことだね。

「どうせ、高田の言うことだから」

って、本気にされなかったんだろうね。

やっぱり、常日頃から、嘘はついておくもんだ、って、つくづく思ったよ。

9月

# 9月13日（水）

この日記も本になるんだよなぁ。

ってことは、今回もどのくらいの人かわからないけど、見ず知らずの人がこれを読むわけだよね。

すると、ひょっとして、この日記のせいでオレと女房が冷え切っているんじゃないか、なんて世間から誤解されないかな？

女房に怒られないように、ここで断っておくけど、そこまで夫婦仲は悪くないよ。

**さすがに今は、夫婦で別々の歯ブラシを使っているけど、**でも、それは夫婦仲が冷えたからじゃないよ。

**別々の歯ブラシを使う経済力がついた**ってことだね。

あと、夜の方も、最近は毎晩欠かさずってことはないね。

風呂も、毎日一緒に入るってことはないかな。


これで、誤解は解けたかな？

でも、その分、これを読んだら、女房が余計に怒り狂いそうだね。

まぁ、オレに関心がないから、絶対に読まないけど。

## 9月14日（木）

ニュースで見たんだけど、ハブの毒が認知症に効果があるらしい。

オレも、この年だから、さすがに心配なんだ。

もともと物覚えが悪いから、認知症の症状なのかどうなのか区別がつきにくいんだけど、以前、大嫌いな大竹まことを、「なぁ、大谷」って、オレが大好きな大谷翔平と間違えたときにはこりゃあいかん、もう終わ

---

**物覚えが悪い**
物覚えが悪い中でドラマのセリフを覚えるコツはありますか？



**「カンペを出してもらう」**

りだと思った。

ってことで、なんとかして、この認知症を食い止めるために、ハブに噛まれに沖縄に行ってくるから、3日ほど日記も休ませてもらおうかな。

でも、場合によっては、ハブの毒が回って、10日くらい入院するかもしれないな。

2週間くらい休むことになりかねないから、次の日記は、きっと10月だね。

## 9月19日（火）

2週間休む予定だったのに、5日しか休ませてもらえなかったよ。

でも、彼らも甘いよね。今月4日、内緒で休んでいたことに気づいてないんだから。

## 9月20日（水）

沖縄でハブに噛まれたお陰で、もうすっかり認知症は治ったよ。
あと、ハブ酒も飲んで、今もビンビンだって、ことにしておいてもらおうかな。
日記を書きながらビンビン、っていうのも、どんな変態だ、って感じだけど。

## 9月21日（木）

昨日は、「じゅん散歩」のロケで、またかなり歩いてきたよ。
もう何年もやっているから、同じ所に何回も行っているんだけど、と



---

**ハブ酒**
ハブ酒は置いておいて、お酒の好みは変わりましたか？

**「変わってないね。ワインかブランデーしか飲まないから。ただ、よく飲むのはビールと日本酒だよ。本当の好みは隠しとくんだ。何のためかはわからないけど」**

にかくいろんな所で、再開発が進んで、ビックリすることが多い。

本当に、東京はどこまで進化をするんだろうって思うよ。

でも、どれだけ大きなビルが建っても、大規模な再開発が進んでも、

**オレの人生とは何の関係もないんだ。**


ただ、悲しいのは、前にその土地を訪ねたときに、

「今のうちにここを買っておくと良いですよ」

って、教えてくれる人が、なんで一人でもいなかったのかってことだよね。

そうすれば、きっと今頃、暑い中散歩なんかしないで悠々自適だったのに。


しかし、それにしても今年はいつになったら涼しくなるんだろうか？

---

**悠々自適**
いま時間があればどんなことがしたいですか？

**「やりたいことはいっぱいあるんだよ。だけど、仕事があるうちは働かないとって考えちゃうんだよな。貧乏性でいやになっちゃうよ。止まったら死ぬマグロみたいなもんだよね。ただ、食べるマグロは好きだけど、寝室のマグロは好きじゃないよ」**

# 9月23日（土）

そう言えば、いつの間にか敬老の日が終わっていた。
誰もオレのことを敬ってくれないから気がつかなかったよ。

# 9月24日（日）

明日の夜、オレの初体験があるよ。
76歳になる、この年で初めての体験だぜ！
長く生きていると色んな経験させてもらえるよなぁ。

# 9月25日（月）

オレの勇姿、見てくれたかな？

なんと、横浜スタジアムで、ベイスターズ対ジャイアンツの試合の始球式をやって来たんだ。

オレがCMに出させていただいているモデルナさんが協賛の「モデルナ・ナイター」ってことで、大役が回ってきたわけ。

まばゆい照明の中、ゆうゆうとマウンドに上がるオレ。

そして、打席には巨人の一番打者・長野久義選手だぜ。

長野選手の奥さんと言えば、じゅん散歩のナレーションで、いつもオレのことを「コラコラ」って優しく叱ってくれる、下平さやかアナウンサーだもの。

ここは、始球式とはいえ、剛球をいきなり長野選手にぶつけて、下平さんの今までの優しいキャラクターからは考えられないような声で**「ゴ**

---

**始球式**

次回始球式をやるならどうしますか？

**「キャッチャー側でノーパン始球式を受けたいよね」**

**ラァ、ゴラァ！　高田ァ！」**って言わせてみるべきかと思ったけど、さすがに止めといた。

で、真剣に投げ込んだ結果、見事ストライクだよ。

いや〜、気持ちよかった！

うれしくなって、早速、ネットニュースを検索したら、

「高田純次　ノーパン始球式」

って出てきたから、おいおい、このご時世、いくらオレでもさすがに始球式でノーパンにはならないぞ！　って思ってよく見たら「ノーバン始球式」だったよ。

## 9月26日（火）

オレは、昔から、アメリカのドラマが好きなんだよなぁ。

古くは「ローハイド」や「ベン・ケーシー」

最近だと、「ファーゴ」とか「トゥルー・ディテクティブ」も面白かったなぁ。

あと「クライム・ストーリー」も。

とにかく、アメリカのドラマは脚本が凄いよね。

こういうと、日本のドラマがイマイチみたいに聞こえるかもしれないけど、決してそういう意味じゃない。

日本のドラマだって、良い作品が沢山あるし、いい脚本も多い。

そして、日本は役者が良いよね。

特に劇団出身の役者は、おしなべてベースがしっかりしている。

上手いなぁって思うよ。

もっと言うと、1970年代のアングラ演劇を経験している役者は芝居が違うよね。

あと、コメディ出身、喜劇経験者は出色。

やっぱり笑いが一番難しいから。

---

**1970年代のアングラ演劇を経験している役者**

アングラ劇団時代の自分に一言アドバイスしてあげるとしたら？

**「まともに働け」**

どう？

ここまで書けば、誰かの顔が浮かんでいるよね？

オレなんか、ずっと目の前に鏡を置きながら、今日の日記を書いてるよ。

ぐっふっふ！

## 9月27日（水）

実は、いつ頃放送になるかわからないんだけど、オレが出演したドラマがあるんだ。

これがまたすごい良いドラマで、良いキャストなんだよ。

まぁオレの半世紀にわたる役者人生の集大成だね。

ただ、ここまで言うと、そのドラマが放送されたときに、

「集大成の割に出番が少ないだろ！」

9月

って言われるかもしれないけど、これは、いつものことだから今回も気にしないで欲しい。

とにかく、オレって控えめな性格でしょ？

ドラマの現場になると、ことさらに遠慮深くなって、前に出られないんだ。

## 9月28日（木）

オレも、来年喜寿を迎えるわけだから、後進のためにノウハウを授ける必要があるよね。

心して聞いて欲しい。

オレの、半世紀を超える役者人生から学んだ演技の三原則は、

### 「泣くときは、エ〜ン、エ〜ン」

---

**演技の三原則**
恋愛の三原則を教えてください

**「『昔話をしない』『自慢話をしない』『説教をしない』。あ、これは、年取ってからやってはいけない3原則だった。『嘘をつかない』『必ず金は自分で払う』。これだね。2つしかないけど、あとは任せるよ」**

## 「怒ったときは、プン！　プン！　プン！」「笑うときは、ワッハッハ！」

これだね！
役者を目指す人も、是非、これを心がけて、世界に羽ばたく俳優になって欲しいな。

## 9月29日（金）

高田純次の俳優心得　三原則
「泣くときは、エ〜ン、エ〜ン」
「怒ったときは、プン！　プン！　プン！」
「笑うときは、ワッハッハ！」

これは、近いうちに誕生すると信じている日本人アカデミー主演俳優、主演女優のためにも、定期的に、日記に記しておこうと思うんだ。

そして受賞者は、授与式のスピーチのときに色んな人に感謝を述べるけど、その中の一人に、オレの名前も出してもらえないかな？

「演技の基本は、高田さんの教えです。高田さんに感謝します」って。

オレの、半世紀を超える役者人生でも、さすがにアカデミー賞には手が届かなかったから、せめて、教え子にアカデミー賞を獲って欲しい。

ちなみにオレは**「他力本願」**っていう言葉が大好きなんだ。

## 9月30日（土）

他力本願もそうなんだけど、四字熟語とか諺って、好きなんだよなぁ。

特に「禍福はあざなえる縄のごとし」って言う諺は好きだね。

---

**四字熟語とか諺**
読者に四字熟語を贈ってください

**「焼肉定食だね」**

これを使っておくと賢そうに聞こえるじゃない？
だから、事あるごとに使うよ。

あと「諺」って漢字で書くと、賢そうだよね。
最近、覚えた漢字だけど。

あと、オレは、
「大器晩成は無能な者を慰める言葉なり」っていう諺も好きだな。
でも、これは、諺じゃないか。
「大器晩成」自体が四字熟語で、意味を成しているんだもんなぁ。
言わば、「大器晩成」という四字熟語から派生させたオレのオリジナルの諺だね。
どう？

# 「大器晩成は無能な者を慰める言葉なり」

9月

**大器晩成は無能な者を慰める言葉なり**

「大器晩成は無能な者を慰める言葉なり」は、実際は誰の名言ですか？

**「高校の便所に書いてあって、いいなこれって」**

……響かない？

オレも、たまには、鋭い視点で、日記を書くよ。

ぐっふっふっふ！

でも、誰かのパクりだったら、ごめんなさいね。

もう、この年だから、いろんなことが曖昧なんだ。

# 10月～12月

# 10月1日（日）

『なんとかに、サオさせば、流される』も好きだな。

## 「なんとか」が何だったか思い出せないけど。

好きなくせに思い出せないのか、って言われそうだけど、とにかく、どこかにサオをさす、って言うところが好きなんだよ。

「どっかにサオさせば気持ちいい」ってことで、いいんじゃない？ たまには、こういう日があっても良いよね？

高田純次だもの。

あ、もう10月に入っていたのか……。

じゃあ、今月は、**「どっかにサオさせば気持ちいい」**ってことで。

## 10月2日（月）

「急ぐとも　心静かに手を添えて　外にこぼすな松茸の露」

この諺は、便所でよく見るんだけど、諺じゃないのかな。

## 10月3日（火）

あと、便所では、

「電話してね　さゆり　080×××〇〇〇〇」

ってもあるけど、これも諺じゃないよね？

10月

**便所でよく見る**
トイレではいろいろ観察されているんですね。

**「出す行為以外やることないからいろいろ見回してるよ。後ろまで見ようとすると危ないから気をつけてほしいね」**

## 10月4日（水）

『屁は元から騒ぎ出す』っていう諺も好きだな。
これは、事実だよね。
もっとも、オレはどんな屁をしても平気の平左。しれっとして、騒ぎもしないよ。

## 10月5日（木）

『酒と女は、にごう（二合、二号）まで』
これは、諺じゃなくて、うちの爺さんが、言っていた言葉だね。
「純次、いいか……にごうで止めておけよ」って。

---

**うちの爺さん**
自分がおじいさんとしてお孫さんに贈る言葉は何ですか？

**「オレみたいになるな、それだけだね。とにかくお前が二十歳になるまでは生きるぞとは伝えたいよ」**

爺ちゃん、酒は守れたけど、女は守れなかったよ。

## ごめんね、いい男過ぎて……。

## 10月6日（金）

諺を考えているうちに、大谷翔平選手がついに日本人初の本塁打王に輝いた。

日本人初っていうより「アジア初のホームラン王」だね。

しかも9月の初めから怪我でずっと試合に出られず、135試合しか出ていないのに、44本も打ってホームラン王っていうんだから、そりゃあもう惚れるしかないでしょう。


ただ、その分、大谷選手がエンゼルスの自分のロッカーを片付けたっていうニュースを聞いたときのショックは大きかった。

もう、オレのシーズンも終わったって思ったよ。

で、オレも自分のロッカーに入っていた日記の道具を片付けた。

だって、大谷が試合に出ないんじゃ、もうこれ以上、日記を書く意味がないからね。

涙ながらに、今まで日記を書き残してきた、日記帳、ノート、原稿用紙、パソコン、スマホ、ホテルのメモ帳、割り箸入れの袋、紙ナプキン、米粒、チラシの裏、家の壁、天井、自分の手、足、腹、イチモツ、愛人の柔肌、。

そして、万年筆、鉛筆、毛筆、クレヨン、ボールペン、サインペン、チョーク、絵の具、釘、蝋石、とにかく、オレが書き綴ってきた日記に関する物を全て片付けた。

もう、日記を書くこともないでしょう。

**さようなら、最後の適当日記。**

## 10月11日（水）

勝手にやめるな！　と、叱られましたとさ。

## 10月12日（木）

今日は、仕事中、一瞬たりとも気を抜けなかったよ。ピリピリしていて、「高田さん、機嫌が悪いのかな」なんて周りに緊張感を与えていたかも知れない。

だとしたら申し訳ないことをしたなぁ。

まるで機嫌なんて悪くなかったんだけど、今朝、**うっかり間違えてバイアグラを飲んじゃった**もんだから、仕事中に元気になっちゃったりすると、まずいじゃない？

---

**仕事中に元気になっちゃったり**
飲めばいまも効きますか？

**「正規品は効くよ。まあ効いたところで倍になるわけじゃないんだけど。そもそも日本人は天狗が小さいからきついんだ。あと4・5センチ、太さも1センチくらい大きくなれば外国の女性にも太刀打ちできると思うんだよ。日本男児がんばれ、ってとこかな」**

特に周りに女性がいるときに、そんなことになったら……。

それを思うと気が気じゃなくて、スタッフから話しかけられても、もう上の空だよ。

でも、何事もなく、家に帰れて、ほっと一安心。

ところが女房が「おかえりなさい」って声をかけてくれたときに目が合って、「あ！　ここで元気になったらどうしよう」って再び焦ったけど、相変わらず「お休み状態」だったから良かったよ。


それとも久しぶりに女房孝行をするべきだったかな。

## 10月13日（金）

そもそも、「高田さん、その年で、まだバイアグラ、飲んでるんですか？」とか言うやつがいるけど、この年だから、飲んでるんじゃないか、って

---

**この年だから**
「やる気」が衰える気配はないですね

**「夢でも見るからね、女の子やっつけようとしてて直前で終わる夢をよく見るよ。夢でも一度はやっつけたいね。この年で夢精したら逆にすごくない？」**

言いたいね。

オレだって、若い頃は、飲まなかったよ。

多分、50代から飲むようになったんだけど、その頃だってけっこうニセモノを掴まされたりしたんだ。

でも、ニセモノだって知らずに飲んでいたら、効いたよ。

今は、これは絶対に本物だ、っていう確信があっても疑心暗鬼だね。

## 10月18日（水）

今朝、朝食に出されたカレーライスを見てギョッとしたよ。

ニンジンがゴロゴロしているわけ。

家族が昨日食べたカレーの残りを出してくれただけなんだけど、オレは、基本ニンジンを食わないんだよ。

ばあちゃんが **『純次、ニンジンを食べるとスケベになるんだよ』** って、言って、オレに食べさせなかったんだ。

その習慣が続いて、大人になってからも食べずに、ここまできた。

そう言うと、

「それで、それだけスケベなんだから、ニンジンを食べていたら、きっと高田さんは、ギネス級のスケベでしたね」

とか言うやつがいたけど、「ギネス級のスケベ」だったら、なってみたいよね。

それは、そうと、朝、ニンジンがゴロゴロしているカレーを見て、

「ひょっとして、今夜抱いて、っていう女房からのメッセージかな？」

って、一瞬でも思った自分が怖いよ。

---

**ニンジンを食べるとスケベになる**

何を食べるとスケベが治りますか？

**「卵かけごはん。ニンジンの話もそうだけど、オレが言うとまったく説得力がないね」**

# 10月19日（木）

そう言えば、

「ニンジンを食べていたら、高田さんは、ギネス級のスケベ」

って言っていたやつが、

「高田さんは、絶対にニンジンを食べていますよ。きっと摺り下ろしてあったり、形がないほどに煮込まれていて気がつかなかっただけで、山ほどニンジンを食べているんじゃないですか。そうじゃなきゃ、そんなにスケベになりませんよ」

とも言っていたなぁ。


もし、それが本当だとしたら、誰が何のために、オレにそんな苦労をしてまでニンジンを食わせようとしたんだってことだよ。

ひょっとして、女房がオレにもっと愛されたくてやったことかな？

10月

こういうことを書くと、**女房は本当に嫌がるんだ。**

まぁ、どうせ、この日記を読むことはないけど。

## 10月24日（火）

今日は、久しぶりにカラオケに行って歌ってきた。

「襟裳岬」に始まり、「街の灯り」「ふるさとの話をしよう」と、昭和歌謡を立て続けに若いスタッフの前で歌ってやったぜ！

この辺はまあウケも良かったんだけど、「あぁ青春の城下町」を歌い上げたら、みんなポカンとして、誰一人わからないんだよ。

さすがに古すぎたかと思って、浜田省吾の「夏の終わり」を歌ったら、これもわからない。

「しょうがない。じゃあ、このへんでグッと新しい曲を」と、オレの中では、とびきり新しい曲、「島んちゅぬ宝」を歌ったら、「どこが新しいんだよ！」って野次を飛ばされたよ。

で、締めは、オレの曲である「白いブランコでおやすみ」を歌い上げたんだ。

これが名曲で、オレは、自分が出した歌はほとんど歌えないんだけど、これだけは大好きで歌えちゃうんだよなぁ。

無駄に伸びる声で、のどちんこが震えること、震えること……いや～、気持ちよかった。

でも、オレの「島んちゅぬ宝」に「どこが新しいんだ」って、野次を飛ばしたスタッフが、「白いブランコでおやすみ」のときは、あくびしながら、スマホを見てたんだ。

「あいつが異動になりますように」って、帰りのタクシーで、心の中で願ったよ。

---

**白いブランコでおやすみ**

新曲のご予定はありますか？

**「5曲くらいはもう吹き込んではいるんだよ。自由が丘のカラオケ屋で」**

## 10月25日（水）

昨日は、カラオケで、イヤってほど、のどちんこを震わせたけど、最近、めっきり、ちんこを震わす気持ちよさがなくなったよ。

こんな下ネタも入れて良いよね？

## 10月28日（土）

オレの主治医の先生から、「高田さんに、どうしても見てほしいものがある」って、電話が入った。

でも、そのときは本番直前で詳しく聞けなくて、しかもその後、なかなか連絡がつかない状態で、結局、直接先生に会うまで「何を見て欲しいのか」見当もつかなかったんだ。

何しろ、脊柱管狭窄症の手術を始め、オレの体のケアのほとんどを任せていた先生から「どうしても見てほしいものがある」って、電話が入ると気になるのよ。

当日、先生の部屋に、恐る恐る入ると、

「あ〜、高田さん、良く来てくれました。これ、見て下さい」

って、何冊ものノートの束を出された。

見ると、表紙に「じゅん散歩　２０１６年4月〜10月」とか書いてあるわけ。

先生の97歳になるお母さんが、じゅん散歩が大好きで、毎日の放送内容を克明に記録してくれていたんだ。

ありがたいよねぇ。

でも**「こんにちは。私、三元豚というブタなんですけど、ブーブー」**とか、全くの思いつきで言った挨拶

---

**脊柱菅狭窄症**

脊柱菅狭窄症、その後いかがですか？

**「いまのところ順調。かわりに対人恐怖症が出てるよ」**

まで、記録してるわけ。

しかも、まぁ、嫌味なほどに見事な達筆で……。

オレ、ノートを見せていただきながら、顔が赤らんでいくのがわかったよ。

## 10月30日（月）

今日、うっかりリビングで、うたたねしていたら、女房から、

「もうすぐ永眠するくせに、よく寝るね」

って、温かい言葉をかけてもらったよ。

そのとおりだから、ぐうの音も出ないよね。

# 11月1日（水）

島倉千代子は「人生いろいろ」
高田純次は**「人生そこそこ」**
まぁ、今月は、こんな感じで。

それにしても、この日記はまだ続くのか？
オレ、筆を置いたのに。



**筆を置いたのに**
日記以外でどんなものだったら最後までやりきっていただけますか？

**「やっぱり俳句とか川柳じゃない？　それなら毎日1年間やれる確率が2厘くらいはあるよ」**

# 11月17日（金）

やった〜〜〜！

ついに去年の雪辱を果たしたぜ。

大谷翔平選手、2年ぶり2度目のアメリカンリーグMVP、おめでとうございます！

でも、本当なら去年だって、MVPじゃないとおかしいわけだから、実際は3年連続MVPのはずなんだよ。

オレはこの話をすると、止まらなくなるけど、少し時間をもらっていいかな？

何のボケも入れずに、くどくど喋らせてもらうぜ！

まぁ、でも、去年のことは、大谷翔平選手が気にしていないみたいだから、オレが傍からガチャガチャ騒いでもしょうがないか。

---

**2度目のアメリカンリーグMVP**
1年にわたって、こんな大谷選手の話が書かれるとは思っていませんでした

**「通訳の一平くんの次に近い日本人ってことでいいんじゃないかな。大谷くんのことを知りたかったら、もうナンバーかこの日記かって感じだと思うよ」**

何にしてもオレも気が済んだよ。

これで、晴れて筆を置くよ。

いや～、めでたし、めでたし。

良い終わり方だ。

## 12月5日（火）

師走のクソ忙しい中、この日記の表紙の写真を撮ってきた。

みんな、もう高田は日記を書かないと思っていただろうな。

そう思わせておいて、突然、また出てくる。

映画のエンドロールが流れてきて、もう終わりかなと思って映画館を出たら、突然、またシーンが始まる、みたいなパターンだね。

---

**映画のエンドロール**
最近見てよかった映画は？

**『イコライザー2』がよかった。あとマット・デイモンの『ボーンシリーズ』はいいね。マット・デイモンがいいのは普通の顔なところ」**

こういうのがあるから、油断しちゃいけないよ。

しかし、見事な表紙の写真が撮れちゃったよなぁ。

担当者に聞いたら、

「撮影には協力的なところばかりだったんですけど、企画書を送った途端、『ちょっと天狗は……』って、お断りが来ちゃうんです。結構、アチコチ断られました」

とか言ってたけど、当たり前だろ！

っていうより、〇〇ホテルさんが、よく撮影の許可が出してくれたもんだと思って、それにビックリしたよ。

ってことで、いよいよエンドロールも流れ終わったね。

さすがにもう、これで終わるよ。

---

**〇〇ホテル**

撮影協力いただいたホテルの感想は？

**「ホテルの中華でかた焼きそばを頼んだんだけど量が多くておいしかったね。ビールも飲んだ。担当者に『撮影前におなかぽっこりしちゃいませんか？』って言われたけど、もともとぽっこりだから無視したよ」**

# 12月31日（日）

ごめんなさいね。

ジジイのくせに、今年も、こんなに素敵で。

12月

仕事関係者へ

「あと10年は生きるので
よろしく。
仕事するかは
わからないけど」

奥様へ

# 「先に行くんでよろしく」

みんなのマーケット㈱　「くらしのマーケット」
日本コカ・コーラ㈱　「綾鷹」読売新聞タイアップキャンペーン
ナイル㈱　「おトクにマイカー定額カルモくん」
HOYA㈱　「アイシティ」
㈱サウンドファン　「ミライスピーカー」
モデルナ・ジャパン　「スパイクバックス™筋注」

## イベント

**▸2024年**
中京競馬70周年「第71回中京記念・第3回中京競馬広報大使、プレゼンター」
モデルナナイター・始球式　DeNA対巨人

▸**2005年**
テイチクエンタテインメント 「東京パラダイス」
（河合美智子とデュエット曲）

▸**2007年**
ソニー・ミュージックダイレクト 「適当男のポルカ」

▸**2009年**
ポニーキャニオン 「ケメ子の唄」（平凡パンチ）

▸**2010年**
フライングドッグ 「メンドク星マーチ」
（劇場版ケロロ軍曹オープニングテーマ 松元環季とデュエット曲）
キングレコード 「過去なんて忘れなよ」

▸**2015年**
ポニーキャニオン 「高田純次 芸能生活だいたい35周年記念CD 純愛」

▸**2017年**
日本コロムビア 「笑ウせえるすまんNEW」

## CM

アサヒビール 「アサヒミニ樽」
松下電器 「ナショナルラジカセ」
ハウス食品 「ポテトチップス」
中外薬品 「新グロモント」
大和証券
三菱 「三菱アルミ」
三菱 「三菱エアコン」
岩堀金属 「使い捨てライター カチット」
花王石鹸 「SOFT ワンダフル」
エバラ食品 「エバラ焼肉のたれ」
タキロン 「ハンディガード」
日本道路公団
関西電力 「マイコン型電気温水器」
サンヨー食品 「カップ麺 西洋亭」
中外製薬 「グロンサン強力内服液」
ミホミ 「こっこ」（静岡銘菓）
スポルディング 「マグナ」
錦之堂 「スーパーレインX」
マルヨ水産 「海産物加工品」
名古屋市 「ごみ減量キャンペーン」
NTT東海 「ISDS」
P&G 「台所洗剤 JOY」
アサヒビール限定醸造ビール 「アサヒ名古屋麦酒」
シンケン 「リフォーム」
キングコモディティ証券
キリンビール 「淡麗〈生〉」
「CMのCM」
トヨタ自動車 「カローラー ルミオン」（ナレーション）
サントリー 「Vitamin Water」
アサヒ飲料 「WONDA」
森永製菓 「ダース」
ウィルコム 「ウィルコム」
独立行政法人日本スポーツ振興センター 「BIG toto」
サッポロビール 「サッポロ生ビール黒ラベル」
スタートトゥデイ 「ZOZOTOWN」
本田技研工業㈱ 「Honda Cars」
参天製薬㈱ 「サンテ40」シリーズ
アサヒフードアンドヘルスケア㈱ 「クリーム玄米ブラン」
イオン㈱ 「G. G（Grand.Generation）」
トリンプ・インターナショナル・ジャパン㈱ 「sloggi ZERO FEEL」（スロギーゼロフィール）
総務省 「国勢調査2015」
アサヒ飲料㈱ 「三ツ矢サイダー」
㈱東京インテリア家具
P&G 「ジョイ」
参天製薬㈱ 「新サンテ メディカル」シリーズ
㈱東京インテリア家具
㈱ミクシィ 「モンスターストライク」
プラスワン・マーケティング㈱ 「FREETEL」
日本マクドナルド㈱ 「グラコロ どっちも本命」
㈱セブン&アイ・ホールディングス 「セブンカフェ」
㈱東京インテリア家具

## ゲームソフト

▸1995年
伊藤忠　「DISCWORLD」

▸1998年
エニックス　プレイステーションゲームソフト「ユーラシアエクスプレス殺人事件」

▸2004年
マルホン工業　「CR純次」(パチンコ)

## DVD

▸2007年
ビクターエンタテインメント　「高田純次適当伝説 ～序章・勝手にやっちゃいました～」

▸2009年
アミューズソフトエンタテインメント　「高田純次の適当人生～地球の変な歩き方～」
ポニーキャニオン　完全適当版「高田純次のアイドルを探せ!」

▸2010年
エイベックス・エンタテインメント　「高田スザンヌ」
ポニーキャニオン　「タカダオカダ」(適当ドライブ熱海温泉編)

▸2011年
ポニーキャニオン　「タカダオカダII」(高田純次64歳　人生でやり残したコト)

▸2015年
ポニーキャニオン　「高田純次 芸能生活だいたい35周年記念CD　純白」

▸2018年
ポニーキャニオン　「高田純次のセカイぶらぶら　ハワイをぶらぶら編」
ポニーキャニオン　「高田純次のセカイぶらぶら　サンディエゴをぶらぶら編」

## CD

▸1983年
日本コロムビア　「ジュンちゃんのブラボーダンス」
フォーライフレコード　「おふろのうた」

▸1988年
バップ　「CHANCE!心ときめいて」
(NTV 天才・たけしの元気が出るテレビ!・兵藤ゆきとデュエット曲)

▸1990年
ビクター音楽産業　「どうせ世の中不公平」
(TBS系ドラマ高田純次の無責任社員物語「男は一度勝負する」テーマ曲)

▸1992年
BGMビクター　「白いブランコでおやすみ」
(近藤房之助とデュエット曲)
「夕焼けのParty」
(ニッポン放送高田純次の男・夕焼け・まわり道テーマソング)
トーラスレコード　「19番タンゴ」
(多岐川裕美とデュエット曲)

▸1996年
ポリスター　「P・S 愛してる!」
(上沼恵美子とデュエット曲)

▸2000年
ビクターエンタテインメント　「サラリーマンのうた」

## ラジオ

▶1988年
LF 「トンガリスタジオ まかせて青春」

▶1992年
LF 「高田純次 男 夕焼け 回り道」

▶1996年
QR 「純次·早見のオイシイとこどり」

▶1997年
QR 「純次·早見の東京ブロードウェーイ」

▶2001年
QR 「高田純次·河合美智子の東京パラダイス」

▶2012年
QR 「高田純次　毎日がパラダイス」

▶2015年
QR 「高田純次 日曜 テキトォールノ」

▶2017年
QR 「純次と直樹」

## 出版物

▶1989年
勁文社 「TOKYO娘と恋におちたい!!」

▶1992年
祥伝社 「多面人格のすすめ」

▶2002年
河出書房 「人生教典」

▶2006年
ソフトバンククリエイティブ 「適当論」
ソフトバンククリエイティブ 「適当手帳」

▶2007年
河出文庫 「人生教典」(文庫)
青山出版社 「適当男のカルタ」

▶2008年
ダイヤモンド社 「適当日記」

▶2010年
廣済堂出版 「人生の言い訳」
青山出版社 「裏切りの流儀」
ダイヤモンド社 「適当手帳」For Business 2011

▶2012年
ダイヤモンド社 「適当川柳」
学研パブリッシング 「秘密主義」
文化出版局 「高田純次　男の美学」

▶2013年

▶2014年
産経新聞出版 「高田純次のチンケな自伝」

▶2015年

▶2016年
KADOKAWA 「高田純次のテキトー格言」
実業之日本社 「じゅん散歩」

▶2020年
潮書房光人新社 「自伝　高田純次」(高田純次のチンケな自伝)(文庫)

▶2022年
主婦の友社 「50歳を過ぎたら高田純次のように生きよう」

▶2023年
文化工房 「じゅん散歩画集　一歩一絵」

## 携帯配信

▶2009年
Bee TV 「高田スザンヌ」

松　竹「パチンコ物語」辻 理 監督

▶1991年

松　竹「ふざけろ」玉川 長太 監督

東　映「首領になった男」降旗 康男 監督

▶1992年

松　竹「空がこんなに青いワケがない」柄本 明 監督

▶1993年

ワーナー・ブラザース　「プライベート・レッスン」和泉 聖治 監督

▶1995年

タイムズイン　「トイレの花子さん（ナレーション）」松岡 錠司 監督

▶1996年

「シークレットワルツ」野火 明 監督

▶1997年

松　竹「瀬戸内ムーンライト・セレナーデ」篠田 正浩 監督

松　竹「F（エフ）」金子 修介 監督

▶2005年

「KARAOKE－人生紙一重－」辻 裕之 監督

▶2006年

東　宝「アイスエイジ2」（日本語吹き替え版） カルロス・サルダーニャ 監督

アスミック・エース　「木更津キャッツアイ ワールドシリーズ」金子 文紀 監督

テアトル　「パビリオン山椒魚」冨永 昌敬 監督

▶2007年

松　竹「ピアノの森」（アニメ吹き替え）小島 正幸 監督

アスミック・エース　「TAXi④」（日本語吹き替え）ジェラール・クラヴジック 監督

▶2008年

ゼアリスエンタープライズ/ドーガ堂　「クリアネス」篠原　哲雄　監督

東　映「フライング☆ラビッツ」瀬々　敬久 監督

▶2011年

クロックワークス　「ホームカミング」飯島 敏宏　監督

▶2020年

松　竹「事故物件　怖い間取り」中田　秀夫 監督

## Vシネマ

▶1991年

「ゲ!!死ぬまであと24時間」

▶1992年

ビクター音楽産業　「けん玉」

## 舞　台

▶1985年

東京室内歌劇場　「火の鳥　ヤマト編」

東八郎芸能生活三十周年記念特別公演 Part2 「スラップスティック・サラダ」

▶1992年

パルコ劇場　「ラブレターズ」

▸2016年
ANB　土曜ワイド劇場　西村京太郎トラベルミステリー65「伊豆海岸殺人ルート」
TBS　火曜ドラマ「重版出来!」
ANB　土曜ワイド劇場　西村京太郎トラベルミステリー66「釧路・帯広殺人ルート」

▸2017年
ANB　土曜ワイド劇場　西村京太郎トラベルミステリー67「箱根紅葉・登山鉄道の殺意」
ANB　ミステリースペシャル　西村京太郎トラベルミステリー68「山形・陸羽西線に消えた女」
ANB　「トットちゃん!」#1～#5
TBS　火曜ドラマ「監獄のお姫さま」#4.6.8.9

▸2018年
ANB　日曜ワイド「刑事・横道逸郎」
ANB　「未解決の女 ～警視庁文書捜査官～ 」
ANB　「警視庁・捜査一課長」#9
ANB　日曜プライム　西村京太郎トラベルミステリー69「金沢～東京殺人ルート2時間33分の罠!」
TBS　月曜名作劇場「警視庁南平班～七人の刑事」11
C X　「黄昏流星群～人生折り返し、恋をした～」#4.5.6

▸2019年
C X　「深川東特命人情捜査 朝田真平 ②」
ANB　日曜プライム　西村京太郎トラベルミステリー70「十津川警部VS鉄道捜査官・花村乃里子～2人の初競演で挑む、究極のダイヤトリック」
ANB　「未解決の女　警視庁文書捜査官スペシャル　緋色のシグナル」

▸2020年
ANB　西村京太郎トラベルミステリー71「新春スペシャル」
ANB　日曜プライム　西村京太郎トラベルミステリー72　「十津川警部のラストラン」
ANB　「未解決の女 ～警視庁文書捜査官～」
ANB　ドクターXシリーズ「ドクターY～外科医・加地秀樹～」

▸2021年
ANB　ドラマスペシャル「警視庁ひきこもり係」

▸2022年
ANB　西村京太郎トラベルミステリー・ファイナル「十津川警部のレクイエム」

▸2023年
T X　「ゲキカラドウ2」

## 映画

▸1980年
にっかつ　「Mr. ジレンマン 色情狂い」小沼 勝 監督

▸1983年
にっかつ　「夜をぶっとばせ」曽根 中生 監督
松　竹「喜劇 家族同盟」前田 陽一 監督

▸1984年
ジョイパック　「スクラップストーリー ある愛の物語」若松 孝二 監督

▸1985年
松　竹「必殺・ブラウン館の怪物たち」広瀬 襄 監督
「ビッグ・マグナム 黒岩先生」山口 和彦 監督

▸1986年
「僕の女に手を出すな」中原 俊 監督
「愛しのチィパッパ」栗山 富夫 監督
「十手舞」五社 英雄 監督
松　竹「愛の陽炎」三村 晴彦 監督

▸1987年
東　映「名門多古西応援団」橋本 以蔵 監督

▸1990年

TBS　月曜ミステリー劇場「陰の季節」5（事故）
TBS　月曜ミステリー劇場「陰の季節」6（刑事）

▸2004年
TBS　月曜ミステリー劇場「自治会長 糸井緋芽子 社宅の事件簿」4
TBS　月曜ミステリー劇場「自治会長 糸井緋芽子 社宅の事件簿」5
NTV　「一番大切な人は誰ですか?」
TBS　月曜ミステリー劇場「陰の季節」7（精算）

▸2005年
TBS　和田アキ子特別企画ドラマ「ザ・介護番長」
TBS　月曜ミステリー劇場「自治会長 糸井緋芽子 社宅の事件簿」6

▸2006年
TBS　春のドラマ特別企画「自治会長 糸井緋芽子 社宅の事件簿」7
NTV　「ギャルサー」

▸2007年
ANB　土曜ワイド劇場 30周年特別企画 森村誠一スペシャル「棟居刑事の純白の証明」
TBS　月曜ゴールデン劇場「自治会長 糸井緋芽子 社宅の事件簿」8
TBS　日曜劇場「冗談じゃない!」
TBS　「歌姫」

▸2008年
C X　金曜プレステージ「和田アキ子物語」
ANB　土曜ワイド劇場 西村京太郎トラベルミステリー「山陽・東海道連続殺人ルート!」

▸2009年
TBS　月曜ゴールデン 「自治会長・糸井緋芽子 社宅の事件簿」9
WOWOW　ドラマW「戦力外通告」
ABC　土曜ワイド劇場「温泉医　ぽっかや事件カルテ」7
TBS　キミハ・ブレイク 「銀座の母物語」
NTV　「華麗なるスパイ」

▸2010年
TBS　月曜ゴールデン特別企画「税務調査官・窓際太郎の事件簿」⑳
C X　フジテレビ開局50周年特別企画「わが家の歴史」

▸2011年
TBS　月曜ゴールデン佐々木譲サスペンス「北海道警察　巡査の休日」

▸2012年
KTV　火曜22時ドラマ 「ゴーイング マイホーム」第5話
ANB　土曜ワイド劇場 西村京太郎トラベルミステリー58 「山形新幹線つばさ129号の女」

▸2013年
ANB　開局55周年記念 土曜ワイド劇場 西村京太郎トラベルミステリー「終着駅殺人事件」
ANB　土曜ワイド劇場 西村京太郎スペシャル60「秩父SL・3月23日の証言～大逆転法廷!!」
TBS　月曜ゴールデン　佐々木譲サスペンス「北海道警察 ② ～笑う警官～」

▸2014年
ANB　土曜ワイド劇場　西村京太郎トラベルミステリー61「越後・会津殺人ルート」
ANB　土曜ワイド劇場　西村京太郎トラベルミステリー62「寝台特急カシオペア&スーパーひたち連続殺人」
C X　金曜プレステージ「深川東特命人情捜査班　朝田真平」
TBS　月曜ゴールデン　佐々木譲サスペンス「北海道警察 ③ 人質」

▸2015年
ANB　土曜ワイド劇場　西村京太郎トラベルミステリー63「飯山線湯けむり殺人ルート」
C X　「ようこそ、わが家へ」
ANB　土曜ワイド劇場　西村京太郎トラベルミステリー64「仙台・青葉の殺意」
TBS　月曜ゴールデン　佐々木譲サスペンス「北海道警察 ④ 密売人」

NTV 「日本一短い母への手紙」③
TBS 月曜ドラマスペシャル「くんずほぐれつ」(主演)
C X 世にも奇妙な物語「蟹缶」(主演)
TBS 時代劇スペシャル「新撰組・池田屋の決闘」
TBS 「野放しギャグバトル!爆烈!!ドカ笑い一家」
C X La Cuisine「オムレツ」(主演)
TBS 月曜ドラマスペシャル「僕は家裁調査官」(主演)
KTV 花王ファミリースペシャル「虹が出た!ラーメンの湯気」(主演)
C X ゴールデン洋画劇場「首領(ドン)になった男」
C X 金曜ドラマシアター「フィリピーナを愛した男」
C X La Cuisine「GHOST　SOUP」

▶1993年
NTV 「仮面の告白」
NTV 土曜ワイド劇場「ちょっと危ない園長さん」
KTV 特選!黒のサスペンス「夜の肌」

▶1994年
C X 迎春ドラマスペシャル「華麗なる別れ!ホテルウーマン'94」
C X 金曜エンタテイメント「動く壁」
ANB 月曜ドラマ・イン「南くんの恋人」
T X ドラマスペシャル「積木くずし―崩壊」
C X 金曜エンタテイメント「裏稼業!何でも屋お国」
ANB 土曜ワイド劇場 真夏のセレクション③「愛の迷路　私が殺したわたし」
ANB 月曜ドラマ・イン「東京大学物語」

▶1995年
C X 花王ファミリースペシャル「虹が出た!~ああ　お世話好き~」
TBS 「ショートストーリー」
C X 木曜劇場「明るい家族計画」
TBS 東芝日曜劇場「パパ・サヴァイバル」
ANB 月曜ドラマ・イン「南くんの恋人・もうひとつの完結編」
C X 金曜エンタテイメント夏のスペシャル第3弾「世にも奇妙なミステリー②妻にいえない夫の秘密」

▶1996年
NTV 「日本一短い「母」への手紙」3
NTV 「透明人間」
NTV 秋の大恋愛スペシャル「恋愛前夜いちどだけ」2

▶1997年

▶1998年
NTV 「三姉妹探偵団」
TBS 月曜ドラマスペシャル「税務調査官窓際太郎の事件簿」1
ANB 「わたしが殺した私‥海に消えた完全犯罪!仮面の花嫁の愛が崩れる時」
ANB 木曜ドラマ「外科医 夏目三四郎」

▶1999年
TBS 月曜ドラマスペシャル「税務調査官窓際太郎の事件簿」2
TBS 月曜ドラマスペシャル「税務調査官窓際太郎の事件簿」3
ANB 月曜ドラマ・イン「天国のKiss」

▶2000年
TBS 月曜ドラマスペシャル「税務調査官窓際太郎の事件簿」4
TBS 月曜ドラマスペシャル「陰の季節」1

▶2001年
TBS BS-i 「A side B」
TBS 月曜ドラマスペシャル「陰の季節」2(動機)
TBS BS-i 「SWITCH」
TBS 月曜ドラマスペシャル「自治会長 糸井緋芽子 社宅の事件簿」1
TBS BS-i 「JUDGE CAFE」
TBS 月曜ミステリー劇場「陰の季節」3(密告)

▶2002年
T X 女と愛のミステリー「大和路殺人事件」
TBS 月曜ミステリー劇場「自治会長 糸井緋芽子 社宅の事件簿」2
TBS 月曜ミステリー劇場「陰の季節」4(失踪)

▶2003年
TBS 月曜ミステリー劇場「自治会長 糸井緋芽子 社宅の事件簿」3

▶1987年

TBS　「うちの子にかぎって…」スペシャル

T X　ドラマ·女の手記「極道の妻·体張ります」

NTV　火曜サスペンス劇場「おつかれ三人旅　妻愛人同伴ツアー」(主演)

YTV　木曜ゴールデンドラマ「ふたりはひとり」II

TBS　水曜ドラマスペシャル「ポルノ女優·小夜子の冒険」

C X　月曜ドラマランド·子供の日スペシャル「藤子不二雄のバケルくん」

C X　月曜ドラマランド「ガクエン情報部H.I.P」

ABC　「ベッドでパパと呼ばないで」

TBS　ドラマ23「不倫のマドンマたち」

NHK　銀河テレビ「まんが道·青春篇」

C X　24時間テレビドラマ「真実の忠臣蔵」

TBS　「僕の姉貴はパイロット」

ANB　「風呂上がり夜空に」

TBS　ドラマ23「だまし絵の女」

C X　「ぼんくらパパは大忙し!」

TBS　水曜ドラマスペシャル「付き添い看護婦」2

▶1988年

ANB　元旦ドラマスペシャル「花の図鑑」

TBS　土曜ドラマスペシャル「付き添い看護婦」3

NHK　銀河テレビ小説「総務部　総務課山口六平太」

ANB　「青山ロブロイ物語」

C X　男と女のミステリー「水なき雲」

ABC　お待たせ!必殺ワイド「仕事人VS秘拳三日殺し軍団」

TBS　ドラマ23「不倫のマドンナたち」

▶1989年

TBS　「女で出世する方法」(主演)

TBS　「時間ですよ新春スペシャル」

NTV　「ツヨシしっかりしなさい」

C X　「保険契約」

TBS　「ウルトラマンを愛した男たち」

TBS　ドラマ23「私をゴルフに連れてって」

TBS　ドラマ23「あぶないマドンナたち」

TBS　ドラマ23「同·級·生は七変化」

KTV　現代神秘サスペンス「自宅の妾宅」

TBS　ドラマチック22「無責任社員物語」1(主演)

▶1990年

NHK　正月ドラマスペシャル「恋しとよ君恋しとよ」

NTV　水曜グランドロマン「やわ肌の熱き血汐に」

TBS　ドラマチック22「高田純次の究極の選択·2人の妻を持つ男」(主演)

TBS　ドラマチック22「無責任社員物語」2(主演)

KTV　直木賞作家サスペンス「氷の家」

TBS　ドラマスペシャル「芸能界㊙マネージャー物語」

TBS　秋の時代劇スペシャル「快傑黒頭巾」

C X　「季節はずれの海岸物語 1990 暑かった夏」

C X　男と女のミステリー「幸福の死角」

▶1991年

TBS　ドラマチック22「無責任社員物語」3(主演)

ANB　土曜ワイド劇場「こちら探偵出血奉仕!」

KTV　時代推理サスペンス「乗り合わせた客」(主演)

KTV　花王ファミリースペシャル「虹が出た!ああ連れあい」(主演)

TBS　ドラマチック22 さよなら特別企画「女房を上司に持つ夫」(主演)

KTV　花王ファミリースペシャル「虹が出た!ああお世話好き」(主演)

KTV　花王ファミリースペシャル「虹が出た!かえろうよ」(主演)

KTV　不思議サスペンス「見知らぬ家族」(主演)

KTV　花王ファミリースペシャル「虹が出た!ああ晩酌人」(主演)

KTV　花王ファミリースペシャル「虹が出た!恋がたき」(主演)

C X　おんなの企画サスペンス「ホテルウーマン」

▶1992年

KTV　花王ファミリースペシャル「虹が出た!待ち人来たる」(主演)

KTV　花王ファミリースペシャル「虹が出た!置き土産」(主演)

CTV　「キャッチ!」
CTV　「前略、大とくさん　春まつり」
ANB　「10万円でできるかな」(後半)
ANB　「ニンチド調査ショー」
NHK　「これって攻めすぎ!?世界旅行始まったよスペシャル」
NHK　「これって攻めすぎ!?世界旅行」
ANB　「帰れマンデー見っけ隊!!3時間スペシャル」

▸2023年
NHK　Eテレ　日曜美術館　正月スペシャル「ハッピーニューアーツ!」
ANB　「テレ朝人気旅全部集まっちゃいましたスペシャル
ザワつく!路線バスの旅×帰れマンデー見っけ隊!!×じゅん散歩」
TX　「家、ついて行ってイイですか?」
ANB　「ザワつく!金曜日&高嶋ちさ子のザワつく!音楽会合体3時間SP」
ANB　特番「ニッポン視察団!2時間スペシャル」
NHK　「サンドどっちマンツアーズ」
ANB　「高橋純次とややこしい女たち」
ANB　「なぜここにいるの?ごみ物語上野・御徒町編」
ANB　テレビ朝日「路線バスで寄り道の旅ゴールデンSP」
ANB　テレビ朝日「ザワつく!大晦日」

▸2024年
BSフジ「カンニングのDAI安☆吉日!2024」

## ドラマ

▸1980年
NHK　少年ドラマシリーズ「ぼくとマリの時間旅行」 #3

▸1981年
C X　「とんだライバル」

▸1983年
NHK　銀河テレビ小説「夢見る頃をすぎても」
ANB　「あとは寝るだけ」
T X　「AカップCカップ」
C X　月曜ドラマランド「ぐうたらママ」
TBS　「噂のポテトボーイ」
C X　月曜ドラマランド「とことんトシコ」1

▸1984年
C X　「クルクルくりん」
C X　月曜ドラマランド「とことんトシコ」2
NTV　「瑠璃色ゼネレーション」
C X　月曜ドラマランド「いたずらキャンパスギャル・突撃としこ」
C X　月曜ドラマランド「豆姫さま漫遊記」2
TBS　「うちの子にかぎって…」
TBS　金曜ドラマ・2人の女シリーズ①「危険なふたり」
TBS　日立テレビシティ「林真理子の星に願いを」

▸1985年
TBS　向田邦子新春スペシャル第三夜「冬の家族」
TBS　「毎度おさわがせします」1
CBC　水曜ドラマスペシャル「危険なふたり」3
C X　月曜ドラマランド「ヨイショ君」
C X　月曜ドラマランド夏休み特別企画「仮面の忍者赤影」
TBS　「女コロンボ危機一髪!」
TBS　「赤い秘密」
NTV　「妻たちの課外授業」
TBS　「子供が見てるでしょ!」
C X　月曜ドラマランド「意地悪なお手伝いさん」

▸1986年
NTV　「新ごきげん月曜7時半」
NTV　グランド劇場「新・熱中時代宣言」
TBS　水曜ドラマスペシャル「付き添い婦物語」1
NTV　「妻たちの課外授業」
TBS　水曜ドラマスペシャル「妻の知らない夫の顔」

C X　「ペケポンプラス　芸能人が本気でお受験したスペシャル」
BS12「大槻ケンヂの日本のほほん化計画」
TBS　「情熱大陸」
ANB　「日本人の3割しか知らないこと ハナタカ!優越館」
CTV　「爆笑!ジャパニズム宣言 #2　～こんな日本に誰がした?～」
Eテレ「むちむち」(ナレーション)
BSフジ「いきつけ」
ANB　「徹子の部屋」
KTV　「快傑えみちゃんねる　番外編　誰も知らない上沼恵美子～還暦からのスタート～」
YTV　「ケンミンSHOW & ダウンタウンDX秋の合体スペシャル」
NTV　「世界まる見え!テレビ特捜部」

▸2016年

MBS　「歌う!人生ゲキジョー」
YTV　「ダウンタウンDX」(VTR出演)
TBS　「サワコの朝」
CTV　「届け!あなたの真ん中へ。中京テレビ大感謝祭2016」
CTV　三ツ矢サイダーPresents「水の惑星大冒険 澄みきった美しい水を求めて カリブ海から日本へ!」
TBS　「どうぶつ奇想天外!」
BS-TBS　「高田純次&遼河はるひがゆく!～にっぽん歴史見つけ旅～」

▸2017年

ANB　「高田純次&タカトシ じゅん散歩コラボSP春の鎌倉でバッタリ出会うまで帰れない旅」
ANB　「クレヨンしんちゃん」
CTV　「あっぱれ!ジャパニズム宣言～日本人よ!自覚せよ!日本のスゴさを!～」
NTV　「得する人　損する人」
NHK Eテレ　「世界の哲学者に人生相談」
TVO　「人生の決断見届けバラエティ ヤメドキ」
T X　「ゴルフの真髄」
ANB　「徹子の部屋」
BS朝日　「極上空間」
TBS　特番「1番だけが知っている」
ANB　「路線バスで寄り道の旅×じゅん散歩スペシャル」

▸2018年

BS12「高田純次のセカイぷらぷら　2018新春スペシャル」
C X　「今夜はナゾトレ」スペシャル(VTR出演)
CTV　「中京テレビ　番組まつり　あなたの真ん中へ。」
BS朝日　「高田純次のぶらり! 夜の盛り場はしご酒」1
ANB　「はい!テレビ朝日です」
ANB　「世界がザワついた㊙映像　ビートたけしの知らないニュース」第16弾
YTV·CTV　「あっぱれ!ジャパニズム宣言」
ANB　「超イッテンモノ」(VTR出演)
TBS　「新どうぶつ奇想天外!2018」
ANB　「やり直して儲けた人」
BS朝日　「高田純次のぶらり!夜の盛り場はしご酒」2
ANB　「路線バスで寄道の旅 × じゅん散歩SP2018」
NTV　「世界で笑いと驚きが起きた瞬間300連発!?」

▸2019年

C X　「ボクらの時代」
ANB　「10万円でできるかな」
CTV　「私、これからもずっと○○します!」
TBS　「音楽の日2019」(合唱)
CTV　中京テレビ開局50年「ウマい!安い!おもしろい!全日本びっくり仰天グランプリ」
BS朝日　「高田純次のぶらり!夜の盛り場はしご酒　第3弾」

▸2020年

ANB　「路線バスで寄り道の旅×じゅん散歩新春スペシャル」
BS朝日　「ザ・インタビュー　～トップランナーの肖像～」
ANB　「10万円でできるかな」
CTV　「ウマい!安い!おもしろい!全日本びっくり仰店グランプリ」

▸2021年

CTV　「前略、大とくさん　春まつり」
ANB　「10万円でできるかな」

▸2022年

ANB　「名所に一番近い家」
ANB　「10万円でできるかな」(前半)

▸2012年
NTV 「今年もやります!!恒例・元旦はTOKIO×嵐」
KTV 特番「勝手にオジャマ隊〜芸能人の地元を荒らしちゃうぞSP〜」
CTV 「高田・山崎・ゴリ テキトー男3人旅〜お伊勢参りに行く〜!」
スカパー アダルト特番「秘密のラビリンス」〜大人夜会〜
ANB 「ザ・ノーコントロール」
CTV 「幸せの黄色い仔犬」
YTV 「情報ライブ・ミヤネ屋」
C X 「㈱世界衝撃映像社」SP
KTV 「R−1 ぐらんぷり2012」
NTV 「1億人の大質問!?笑ってコラえて!」
ANB 「モーニングバード!」
NTV 「はじめてのおつかい!爆笑!夏の大冒険スペシャル」
CTV 「和田アキ子のニッポン爆笑珍道中!!高田マネージャー in 沖縄」
C X 「ALL STAR WARS」ナレーション
T X 「ウソかホントかわからない・やりすぎ都市伝説スペシャル」
CTV 「幸せの黄色い仔犬」

▸2013年
NTV 「元旦はTOKIO×嵐・2013年は嵐・イチからやり直しやがれ!スペシャル」
CTV 「上沼・高田の死ぬまでにやりたい!大人の究極ハワイ旅」
CTV 「幸せの黄色い仔犬」
KTV 「R−1 ぐらんぷり 2013」
NTV 開局60年特別番組「ビートたけしの超訳ルーヴル」
NTV 「ものまねグランプリ・最強のコラボレーションネタ祭り!!豪華ご本人が大集結スペシャル」
ANB 「JUNJI TABLE」
CTV 「幸せの黄色い仔犬」
NTV 火曜サプライズ「春は超大物イケメン芸能人が大集合!3時間スペシャル」
NTV 「世界まる見え!テレビ特捜部」
TBS 「ゴロウ・デラックス」
TBS 「ひるおび!」
TBS 「人気番組対抗ドッキリアワード2013」
CTV 「和田アキ子のニッポン爆笑珍道中!高田マネージャー付き〜夏は遊園地&キャンプ〜」
NTV 「メレンゲの気持ち」
T X 「ネオスポ!年末スペシャル」
C X 「働く人はカッコいい!〜高田純次のサラリーマンになろう〜」

▸2014年
NTV 「元旦はTOKIO×嵐 嵐にしやがれ2014元旦スペシャル」
CTV 「高田純次・ザキヤマ・土屋アンナのテキトー旅in南の島」
TBS 「有吉AKB共和国」
ANB 「お試しかっ!春の3時間!!スペシャル」
T X 「出没!アド街ック天国」
NTV 「1億人の大質問!?笑ってコラえて!春の4時間スペシャル」
YTV・CTV 「爆笑!ジャパニズム宣言〜こんな日本に誰がした?〜」
CTV 「いきなり芸能探偵団」
NHK Eテレ 「ミュージック ポートレイト」
NTV 「関ジャニ 7」
NTV 「世界まる見え!テレビ特捜部 キセキの瞬間!2時間スペシャル」
C X 「ネプリーグ」スペシャル
TBS 「中居正広の金曜日のスマたちへ」
NTV 「世界まる見え!祝25年目突入!3時間生放送! たけし&所…さんまも楠田も入り乱れ大騒ぎSP」
WOWOW 無料放送の日 「大人のウィークエンド オレたちのエンタメ語り12時間」
TX 「ネオスポ年末スペシャル」

▸2015年
NTV 「元旦はTOKIO×嵐 嵐にしやがれ元旦SP嵐旅館」
NTV 「はじめてのおつかい!爆笑!!25周年記念スペシャル」
C X 「ネプリーグ」スペシャル
NTV 「現場のバカヂカラ」
CTV 番組祭り「チュウキョ〜くん タウン」
CTV 「前略、大徳さん」
NTV 「有吉反省会 美女と野獣の2時間スペシャル」
T X 「きらきらアフロ TM」
NTV 「人生が変わる1分間の深いイイ話」(オリラジ密着)

NTV 「1億人の大質問!?笑ってコラえて!」
TBS スパモク!「ザ!芸能人ナイショのストーリー(秘)映像グランプリ」
KTV 「世界の裏側のぞき見バラエティ ウラマヨ!」
TBS 「ウンナンのラフな感じで。」スペシャル
NTV 「火曜サプライズ」
TBS 「ウンナンのラフな感じで。」
C X 「にじいろジーン」
KTV 「マルコポロリ!」
C X 「㈱世界衝撃映像社」
NTV 「PON!」
TBS 「ウンナンのラフな感じで。」
TBS 「クイズ☆タレント名鑑」スペシャル
TBS 「さんまのスーパーからくりTV」
C X 「VS嵐」
TBS 「世界のコワ〜イ女たち③ホントにあった!仰天事件簿スペシャル」
ANB 「トリハダ(秘)スクープ映像100科ジテン」
TBS 「王様のブランチ」
TBS 「クイズ☆タレント名鑑」スペシャル
NTV 「DON!」
TBS 「テリー伊藤伝説!」〜還暦を祝ってテリー伊藤の生前祭
NTV 「日テレ系人気番組が大集合!秋の番組対抗スペシャル」
T X 「有田&山崎のひきだし太郎」
T X 「芸能界オトナ遊び部」
CTV 月パラ「芸人検証」
C X 「笑っていいとも!」
KTV 「にじいろジーン」
C X 「SMAP × SMAP」
ANB 「ナニコレ珍百景」
NTV 「1億人の大質問!?笑ってコラえて!」
NTV 「新型学問・はまる・ツボ学」
CTV 「幸せの黄色い仔犬」

**▸2011年**

CTV 「高田・山崎・ゴリ テキトー男3人旅〜京都改め飛騨高山〜」
NTV 「誰だって波瀾爆笑」
YTV 「情報ライブ ミヤネ屋」
TBS 「ミルク書」
TBS 「クイズ・タレント名鑑」スペシャル
NTV 「鶴瓶の超ゆる〜い会議」
MBS 特番「上沼恵美子のわがまま旅物語」
C X 「笑っていいとも!」
TBS 「はなまるマーケット」
TBS 「ひるおび!」
ANB 「徹子の部屋」
T X 「シネ通」
NTV 「世界まる見え!テレビ特捜部 春の2時間スペシャル」
TBS 「今夜見納め!関口宏の東京フレンドパークⅡ18年間ありがとうスペシャル」
NTV 「アナタの名字SHOW」
T X 「やりすぎコージー」
C X 「爆笑!大日本アカン警察」
ANB 「トリハダ(秘)スクープ映像100科ジテン」
TBS 「20マウス」
T X 「アド街ック天国」
TBS スパモク!!「THE テッパン」スペシャル
T X 「ウヒャウヒャ健康TV」
TBS 「クイズタレント名鑑 伝説のスターが大集結過去の自分に挑戦スペシャル」
NTV 「スタードラフト会議」
NTV 「2011夏はじめてのおつかい!夏の大冒険スペシャル」
TBS 「爆笑パワフルフェイス!」
C X 「㈱世界衝撃映像社」
CTV 「和田アキ子のニッポン爆笑珍道中!!〜高田マネージャー付〜in京都・北海道」
KTV 「タカダオカダ」
C X 土曜プレミアム「㈱世界衝撃映像社」スペシャル
C X 「もしもツアーズ」
TBS 「日本列島!ダ!ダジャレっとう!」
NHK ワンセグ番組「高田と河合と…また、高田。」
TBS 「爆笑パワフルフェイス!」
C X 「SMAP × SMAP」
NTV 「おしゃれイズム」
NHKEテレ 「青山ワンセグ開発」
ANB 「中居正弘の怪しい噂の集まる図書館」
NHK Eテレ 「極める!高田純次の宝石学」
TBS 「サタネプ☆ベストテン!時代を彩った芸能人のMAX月収大公開スペシャル」
ANB 「中居正弘の怪しい噂の集まる図書館」

NTV 「誰だって波瀾爆笑」
KTV 「快傑えみちゃんねる」
C X 「ネプリーグ」
NTV 「笑ってコラえて!秋の豪華版…全て何かしらインターナショナルスペシャル」
C X 「ネプリーグ」
NTV 日本史サスペンス劇場「女達の忠臣蔵2時間スペシャル」
ANB 「ナニコレ珍百景 史上最強!!驚きのニッポン衝撃風景グランプリ」
CTV 「オヤジ三人緊急反省会 栄光と挫折の軌道」

**▸2009年**

NTV 「一流選手とマジ対決!TOKIOザ・ドリームチャレンジ」
KTV 「快傑えみちゃんねる」正月スペシャル
TBS 歴史冒険ミステリー「世界のピラミッド徹底解剖!!人類史上最大の謎を解けスペシャル!」
TBS 「笑撃ワンフレーズ!」
CTV 「高田・大竹・渡辺のオヤジ三人旅 in 草津」
C X 土曜スペシャル「からだの不思議冒険ミステリー」
NTV 「1億人の大質問!?笑ってコラえて!」
TBS 「最強いいわけ列伝!今すぐ使えるとっさの言葉50連発!」
C X 金曜プレステージ「さんま&くりぃむの第二回芸能界(秘)個人情報グランプリ」
NTV 「おもいッきりイイ!!テレビ」
MBS 「高田純次 適当人生~地球の変な歩き方~ハワイ」
MBS 「上沼恵美子の東京絶対ハズせないツアー 東京ディズニーリゾートにも行っちゃいましたSP」
TBS 「大改編スペシャル番組」
NTV 「KAT−TUNの先輩教えて下さい!大人のオキテ100・アンドくりぃむPart2」
NTV 「カートゥンKAT−TUN」
NTV 「日テレ系人気番組が大集合!番組対抗スペシャル」
TBS 「うたばん」
C X 「ネプリーグ」
TBS 「ひるおび!」
NTV 「新ドラマ"華麗なるスパイ"極秘ナビ」
NTV 「"華麗なるスパイ"直前スペシャル!」
CTV 「歓迎!みのもんた様 爆笑テキト~旅行社 ~夢のはとバスで東京観光~」
WOWOW ドキュメンタリー「ロマン・ポルノ伝説 1971~1988」
NTV 「メレンゲの気持ち」
NTV 「日テレ系人気番組が大集合!世界一受けたい授業 国語 理科 社会 音楽 体育 英語 秋の最強先生来襲スペシャル」
FTV 福井テレビ開局40周年記念番組「ふくい浪漫い~ざぁえぇDay」
FTV 「ふくい浪漫い~ざぁえぇDay」
CTV 「幸せの黄色い仔犬」

**▸2010年**

KTV 「快傑えみちゃんねる」正月スペシャル
C X 「ネプリーグ」新春3時間スペシャル
CTV 「高田・宮根・アンタッチャブル山崎テキトー男3人旅 in 熱海」
NTV 「イルカデルカ」
CTV 中京テレビ開局40周年記念「笑わせたいの 中京テレビ3時間爆笑スペシャル」
C X 「VS嵐」
C X 「R-1 ぐらんぷり2010」
MBS 「密談流出!上沼恵美子の井戸端会議」
ANB 「天才をつくる!ガリレオ脳研」
NTV 「世界まる見え!春祭り絶叫しまくり危険映像限界ギリギリ爆弾」スペシャル
ANB 「トリハダ(秘)スクープ映像100科ジテン」
C X 「ネプリーグ芸能界超常識王3時間スペシャル」
ANB 「天才をつくる!ガリレオ脳研」
KTV 「タカダオカダ」
C X 「フジ算」
TBS 「嵐にしやがれ」
C X 「ネプキッズリーグ」2時間スペシャル

TBS 「オールスター感謝祭　超豪華!クイズ決定版」
C X 「僕らの音楽」
C X 「スリルな夜　イケメン合衆国」
TBS 「チューボーですよ!」
ANB 「阿川と大竹&純次チョイ悪男女が贈るこんな韓国見た事ない」
C X 「SMAP × SMAP　07秋の超豪華版」
C X 「SMAP × SMAP」
C X 「SMAP × SMAP」
NTV 「週刊オリラジ経済白書」
C X 「笑っていいとも!」
NTV 「おもいっきりイイ!テレビ」
TBS 「うたばん」
TBS 「ランキンの楽園」
TBS 「王様のブランチ」
NTV 「たべごろマンマ!1時間スペシャル」
TBS 「お笑いDynamite!～年末は108の紅白ネタ合戦で年越し祭りだSP」

▸**2008年**

CTV 「高田・大竹・渡辺のオヤジ三人旅　新春の箱根で看板娘を探せ!!」
NTV 「1億人の大質問!?笑ってコラえて!」
ANB 「アメトーク」
TBS 「2時っチャオ!」
C X 「メントレG」
NTV 「ラジかるッ」
NTV 「今田ハウジング!!」
NTV 「世界まる見え!テレビ特捜部」
NTV 「ズームイン!!SUPER」
KTV 「R−1　ぐらんぷり2008」
KTV 「快傑　えみちゃんねる」
YTV 「上沼恵美子のこんな夫婦どないしたらええねん!」
C X 「孝太郎Wキッチン」
NTV 「メレンゲの気持ち」
C X 「孝太郎Wキッチン」
NTV 「ぐるぐるナインティナイン」
C X 「高田純次も仰天?春京都で逸品を探せ!」
TBS 「世界一短いギャグ祭!お笑いメリーゴーランド」
ANB 「みのもんた　懐かしの歌謡曲2008春」
MBS 「江守・高田・秘書坂下のマニアックマンション」
TBS 「恐怖のアポなし訪問者　和田アキ子の今晩とめろよコノヤロー!」
C X 「モノシリス」
ANB 「アメトーーク!!」
TBS 「はなまるマーケット」
TBS 「ドリーム・プレス社」
C X 「VS嵐」
ANB 「報道ステーション シリーズ「団塊の世代に贈る」第12弾日本のメンズ・ファッションを目覚めさせたVAN」
C X 「理由ある太郎」
C X 「ネプリーグ」
ANB 「クイズ雑学王」
TBS 「サンデー・ジャポン」
C X 「タモリのジャポニカロゴス」
T X 「人のフリ見て我がフリ直せ!出没注意!となりのモンスター」
C X 「高田純次の値切り交渉の旅　必見!夏休み直前SP～房総編～」
KTV 「快傑えみちゃんねる」
CTV 「神出鬼没!みのもんた!!爆笑!テキトー旅行社　高田トラベル」
KTV 「コトばら」
MBS 「上沼恵美子が魅せます!私のハワイにようこそ」
C X 「アナ☆ログ」
C X 「アナ☆ログ」
C X 「SMAP × SMAP　08 2週連続夏休みスペシャル!!」
C X 「理由ある太郎」
HTB 「ありがとう40周年全部足したら10時間ユメミル広場に大集合!」(前夜祭)
TBS 「ドニーチョ!言い訳野郎!」
NHK 「地頭クイズ　ソクラテスの人事」
TBS 「ピン子の時間　Ⅱ」
YTV 「いい国作ろう　高田純次」
C X 「高田純次の秋の京都お取り寄せの旅～若返り～の逸品を探せ」
TBS 「恐怖のアポなし訪問者　和田アキ子の今晩マジで泊まるぞコノヤロー」
TBS 「たった一言で大爆笑　笑撃ワンフレーズ!」
KTV 「南パラ Z!」

ANB 「愛のエプロン」
TBS 「人間!これでいいのだ 芸能人丸裸スペシャル」
C X 「Meet Again~夢写真~」
CTV 「サルヂエ」
C X 「GO!GO!ラスベガス」
T X 「徳光和夫の感涙!時空タイムズ 初回2時間スペシャル」
C X 「ちょい京都通オヤジがおもてなし!京都逸品お買物ツアー」
C X 「HEY! HEY! HEY!」
NTV 「おネエMANS」
C X 「登竜門 フェイク・オフ」
C X 「ネプリーグ」
TBS 「2時っチャオ!」
NHK 「きよしとこの夜」
ANB 「アメトーク!」
ANB 「Qさま!ゴールデン3時間スペシャル」
TBS 「ナイナイクリスマス!ブチ抜き4時間生放送 日本国民1億3千万がきよしこの夜SP」
NTV 「KAT−TUN&久本&くりぃむが応援!高校生制服対抗ダンス甲子園SP」

**▸2007年**

ANB 「志村&所の戦うお正月 芸能界㊙ライバル激突仁義なき頂上決戦2007」
NTV 「みんなの世界にひとつだけ!おもしろ世界地図」
TBS 「2007新春開運あやかりた~い!ニッポン全国今年ついてる名字ランキング!」
ANB 「よっ!日本一!!」
NTV 「今夜決定!ものまねバトルベストアーティストアワード」
CTV 「高田・大竹・渡辺のオヤジ三人旅in北海道 冬の北国で看板娘を探せ!!」
NTV 「ニッポン旅×旅ショー」
C X 「クイズ!ヘキサゴンⅡ」
TBS 「うたばん」
ANB 「六本木☆パリ 新発見!アート街を遊びつくす」
KTV 「R−1ぐらんぷり2007」
KTV 「ナンボDEなんぼ」
TBS 「ドリーム・プレス社」
ANB 「アメトーク! 総集編」
C X 「ネプリーグ芸能界超常識王決定戦スペシャル」
TBS 「学校へ行こう!MAXみのもんたの緊急提言!私を昔の学校へ連れてってスペシャル」
C X 「ウチくる!?祝・9年目突入!!春のゴールデン2時間スペシャル」
TBS 「とくばん」
ABC 「ヴィーナスバトル2007~有名企業イメージガール選抜会議~」
T X 「祝!たけしの誰でもピカソ10周年SP! ビートたけし&北野武!大たけし祭!!」
TBS 歴史大河バラエティー「クイズ!!ひらめき偉人伝 日本で一番知られている偉人は誰だSP」
C X 「ボクらの時間」
NTV 「1億人の大質問!?笑ってコラえて」
C X 「SMAP×SMAP」
NTV 「でじたるバカバカ」
NHK 「クイズ検定試験」
NTV 「でじたるバカバカ」
C X 水10!「オリキュンスペシャル」
NTV モクスペ「世界めちゃウマ食遺産」
TBS 「ドリーム・プレス社」
TBS 「はなまるマーケット」
T X 「ど短期ツメコミ教育豪腕!コーチング!!」
T X 「ど短期ツメコミ教育豪腕!コーチング!!」
NTV 「週刊オリラジ経済白書」
C X 「ネプリーグ」
CTV 「アンデュ」
CTV 「オヤジ達に伝えたい 高田純次の今、逢いに行きます」
CTV 「みのもんた様御用達 爆笑旅行社」
MBS 「ちちんぷいぷい」
NTV 「24時間テレビ30 愛は地球を救う」
TBS 「ギョギョ仰天映像の嵐スッゲぇヘンな生き物に学ぶ!ネプ理科スペシャル」
C X 「舞妓さんもビックリ!?先取り!京都逸品の旅」
C X 「高田純次芸能生活30周年ぐらい記念テキトーにやりましたSP」

T X　「叙々園カップ第6回芸能界ゴルフチャンピオン決定戦」
C X　「ブログタイプ」
CTV　「梅辰どんぶり亭 ニュージーランド」
T X　月曜エンタぁテイメント「みのサリバンショー」
C X　「考えるヒトコマ」
TBS　「さんまのスーパーからくりTV」
T X　月曜エンタぁテイメント「みのサリバンショー」
NTV　「24時間テレビ28(元気が出るテレビ同窓会)」
NTV　「ダウンタウンDX」
NTV　「おしゃれイズム」
TBS　スーパーフライデー「豪華!芸能界四大淑女貴方の生きザマ教えてください!SP」
TBS　「タヒチ・パール紀行　究極の㊙真珠を求めて高田純次が豪華セレブ爆笑取材」
YTV　「高田・ヒロミがフット南海レギュラーの出る杭打ちに来ました!SP」
C X　学問の秋スペシャル第2弾「平成教育委員会スペシャル」
T X　「三宅式こくごドリル」
CTV　「サルヂエ」
T X　「出没!アド街ック天国」
T X　「Ya-Ya-Yan」
TBS　「島田検定SUPER!!」
C X　「笑っていいとも!」
ANB　「Qさま!!」
CTV　「アンデュ」
ANB　ドスペ2「激突!プレゼン・スタジアム〜KING OF通販マン決定戦〜」
YTV　「週刊えみぃSHOW」
KTV　関西テレビ年末生ワイド「上沼恵美子4時間半生でしゃべるのはナマナマしい〜スペシャル」
C X　2005年末特別番組「所さんの画スタマイズ天国」
NTV　「女優魂　高嶺の花スペシャル」

**▸2006年**

NTV　「ロンQ　ハイランド」
ANB　「朝までイチ押しクイズショッピングの王女」
YTV　「爆笑空想バラエティー」
TBS　「うたばん」
CTV　「高田・大竹・渡辺のオヤジ三人旅in九州 冬の湯布院&黒川温泉看板娘を探せ!」
C X　「HEY! HEY! HEY!」
T X　月曜エンタぁテイメント「みのサリバンショー」
TBS　「はなまるマーケット」
CTV　「超人気番組大集合　春のサルヂエ祭り2006」
NTV　「第2日本テレビ」
NTV　「極上!腹ペコレシピ」
NTV　「行列のできる法律相談所」
NTV　「未来予報2011」
NTV　「さしのみ」
NHK教育　「テレビ絵本」(前編)
NHK教育　「テレビ絵本」(後編)
NHK　「プライスの謎」
ANB　「銭形金太郎」
TBS　「踊る!踊る!踊る!ミュージカル・ムーヴィン・アウト」
TBS　「うたばん」
NTV　「行列のできる法律相談所」
NBN　「ウドちゃんの旅してゴメン」
CTV　「歓迎!みのもんた様　史上最低のテキトー旅行社」
CTV　「梅辰どんぶり亭　in シルクロード」
NTV　「24時間テレビ 29　愛は地球を救う」
TBS　「R30」
TBS　「さんまのスーパーからくりTV」
NHK　「プライスの謎」
ANB　「愛のエプロン」
NTV　「新どっちの料理ショー」
NTV　「極上!腹ペコ旅レシピ」
CTV　「女優魂」
NTV　「行列のできる法律相談所」
T X　「政治家の妻　大集合スペシャル〜妻はエライ!夫以上に大変なんだ!!」
T X　「たけしの誰でもピカソ　スペシャル」
KTV　関西テレビ災害復興チャリティ募金「上沼恵美子 ナマ騒ぎ! 4時間半しゃべり祭りスペシャル」
CTV　「超人気番組集合!秋のサルヂエ祭り!」
T X　「スカ☆J」

TBS　「脳内探検クイズ!ホムクル」
NTV　「行列のできる法律相談所」
YTV　「ダウンタウンDX」
NTV　「カミングダウト総集編」
CTV　「高田・久本・ビビアン　韓国大発見!! 最強の料理人を探せ!」
NTV　「ロンブー龍スペシャル グルメ特急便特別版!!芸能人にウマいもんガンガン聞いちゃうぞSP」
YTV　「島田紳助が芸能界の厳しさ教えます!恋愛スペシャル!!」
T X　「出没!アド街ック天国」
NTV　「謎を解け!まさかのミステリー」
NTV　「@サプリッ!」
C X　「めちゃ2イケてるッ!」
日本映画衛星放送　「私が好きな日本映画」
TBS　「超歴史スペクタルⅢ　地球の夢!生命の夢!!ダーウィンの大冒険」
NTV　「どっちの料理ショー」
ANB　「ぶっすま」
NTV　「行列のできる法律相談所」
ANB　「ロンドンハーツ」
TBS　「関口宏の東京フレンドパークⅡ」
KTV　関西テレビ年末生ワイド「上沼恵美子4時間半生でたらふくしゃべりますねんスペシャル!!」
C X　「HEY! HEY! HEY!」
ANB　「最終警告!たけしの本当は怖い家庭の医学」
C X　「笑っていいとも!」
T X　月曜エンタぁテイメント「みのサリバンショー!脳がぐんぐん若返るスペシャル!」
TBS　「A B O AB 血液型性格診断のウソ・ホント!本当の自分&相性探し 来年こそは開運SP」

**▶2005年**

NTV　「新春6時間生放送ウンナン&モー娘が大ハッスルあっぱれテレビ2005」
ABC　「有名人が熱写!私にしか撮れないスターの裏側㊙ビデオ大賞」
CTV　「新春サルジエ大決戦!芸能界なぞなぞ №1 !!」
ANB　「ロンドンハーツ」
NTV　「魔訶!ジョーシキの穴」
T X　月曜エンタぁテイメント「世の中ここがユルせないッ!」
TBS　「8時です!みんなのモンダイ」
NTV　「いつみても波瀾万丈」
ANB　「決定!これが日本のベスト100」
T X　月曜エンタぁテイメント「緊急出動!犯罪捜査24時」
TBS　「オオカミ少年」
ANB　「ロンドンハーツ」
C X　「嵐の技ありっ!」
TBS　「8時です!みんなのモンダイ」
TBS　「史上最強の人間ドック ザ・快傑ドクター 芸能人の寿命ぜーんぶ大宣告SP」
C X　「ごきげんよう」
TBS　スーパーフライデー「オールスター赤面申告ハプニング大賞2005春」
CTV　「春だサルジエ大決戦2　芸能界なぞなぞ №1 !!」
ANB　春の内村プロデュース「若手芸人真っ向勝負!!真のお笑い伝道師対決&芸人ふるさと帰郷SP」
YTV　春のスペシャル「斬って魅せます!お笑い芸人100人!!クイズ過激すぎてもうイヤ〜ン!ランキング」
YTV　春のスペシャル第二部「思い出の特選!!漫才コンビベストテン」
ANB　「ロンドンハーツ」
TBS　GWクイズSP第1弾「オークションバトル・ザ・チェラルキー」
MBS　「トラベルウォーズ」
TBS　「ピン子の時間」
NTV　「行列のできる法律相談所」
TBS　スーパーフライデー「若手芸人は見た!　実録㊙芸能界　本当にあった仰天伝説大検証SP」
C X　「考えるヒトコマ」
ANB　「Qさま!!」
C X　「ウチくる!?」
ANB　ドスペ2「生放送!ガチンコプレゼンスタジアム」
ANB　「ぶっすま」
C X　「爆笑問題☆伝説の天才」
NHK福岡「ふくおか情熱王」
NTV　「謎を解け!まさかのミステリー」

NTV 「1億人の大質問!?笑ってコラえて!」
C X 「世界ゴリッパですね!」
NTV 「遊ワク☆遊ビバ!」
ANB 「ロンドンハーツ」
NTV 「遊ワク☆遊ビバ!」
NTV 「日テレ本日お引越し～日本中の皆々様どうぞ汐留にいらっしゃいまし～」
NTV 「遊ワク☆遊ビバ!」
ANB 「ロンドンハーツ」
C X 「爆笑おすピー問題!」
NTV 「どっちの料理ショー」
TBS 「秋の豪華版!さんまのからくりTV超特大号」
T X 「みのもんたとラジオな仲間たち　青春フォーク大全集」
C X 「クイズ!ヘキサゴン 秋のスペシャル」
TBS スーパーフライデー「世界が驚く!完全実録日本の仰天三面記事!!あの事件の現場にあの有名人がいた」
NTV 「謎を解け!まさかのミステリー」
NTV 「どっちの料理ショー」
C X 「SIXセンス」
C X 「爆笑おすピー問題!」
ANB 「愛のエプロン3」
C X 「さんまのまんま」
NTV 「行列のできる法律相談所」
TBS 「和田アキ子歌手35周年オールスター祝賀会」
ANB 「ロンドンハーツ」
NTV 「速報!歌の大辞テン!!」
CTV 「サンタ　サンタ　サンタ2003」
C X 「脳内エステ　IQサプリ」
C X 「アナタを酔わせるFNS全日本番組忘年会」
T X 2003年末スペシャル「奇跡の祭典!マジック格闘技T−1グランプリ」

**▸2004年**

NTV 「どっちの料理ショー　元旦超特大スペシャル」
T X 笑いと涙のお正月スペシャル「欽ちゃんの発掘!ビデオ大賞」
CTV 日曜スペシャル「出撃!梅辰どんぶり亭・パプアニューギニア」
KTV 「いつでも笑みを!超豪華!ありがとう300回スペシャル」
YTV 「おっさんVSギャル芸能人㊙デート大阪ええとこ恋の華も咲きまっせSP」
NTV 「オールスターの皆様に芸能界の厳しさ教えますスペシャル2004春」
CTV 中京テレビ35周年特別番組「中京テレビ大感謝祭!4時間生スペシャル」
NTV 「謎を解け!まさかのミステリー」
T X 「出没!アド街ック天国」
NTV 「行列のできる法律相談所」
NTV 「プロの動脈」
NTV 「1億人の大質問!?笑ってコラえて!」
T X 「大丈夫!!わが家の財産」
C X 「う!ウマいんです。」
NTV 「どっちの料理ショー」
C X 「VVV6」
T X 「クエス・ファイブ」
C X 「う!ウマいんです。」
ANB 「ロンドンハーツ」
TBS 「サンデー・ジャポン」
TBS 「脳内探検!ホムクル A B O AB血液型性格診断のウソ・ホントすべてわかるSP」
C X 「爆笑おすピー問題!」
TBS 「脳内探検クイズ!ホムクル」
THK スポーツバラエティ「アテネ発!クイズスタジアム～開幕まで待ちきれなかったゾ!SP～」
C X 「VVV6ダイジェスト版」
C X 「ウチくる!?」
NTV 「雨上がり不動産　ハワイに住みたい!」
T X 「叙々苑カップ　第5回芸能人ゴルフ」
NTV 「行列のできる法律相談所」
ANB 「最終警告!たけしの本当は怖い家庭の医学」
YTV 「ナニワの芸人が闘魂乱入!?高田、ヒロミ、勝村が頼むから堪忍してくれ大接待SP」
NTV 「カミングダウト」
C X 「ウチくる!?」
CTV 日曜スペシャル「高田・大竹・渡辺のオヤジ三人旅INパリ美女とブラブラ爆笑珍道中」
YTV 「関西人1万人が選ぶ!　お笑いオールタイムザ★ベスト!!」
NTV 「サルヂエ」

CTV　日曜スペシャル「高田・大竹・渡辺・オヤジ3人旅　マグロ街道看板娘を探せ!」
NTV　「ぐるぐるナインティナイン」
NTV　「日本のミカタ」
TBS　「アッコにおまかせ!」
NTV　「おしゃれカンケイ」
NTV　「新型テレビ」
NTV　「ぐるぐるナインティナイン」
ANB　「ほんパラ!痛快ゼミナール」
ANB　日曜スペシャル「激闘120分アッコ&紳助芸能界征服宣言!スペシャル」
TBS　「激闘120分!関口宏の東京フレンドパークII　アッコ&紳助芸能界征服宣言スペシャル」
ANB　「ロンドンハーツ2002年芸能界一斉取締りスペシャル」
NTV　「どっちの料理ショー」
NTV　「ザ・世界仰天ニュース」
NHK　ハイビジョン「華麗なる超技の世界」
CTV　「高田・久本・ビビアンの最強の料理人を探せ!秘境!中国四川省の旅」
NTV　「地球は女で回っている?」
TBS　「ウッチャキ　ナンチャキ」
THK　「オールスター夢の対決!2002芸能人ゴルフ日本一決定戦 日本メディアシステムカップ」
ANB　「虎乃門」
ANB　「ロンドンハーツ」
NTV　「行列のできる法律相談所」
ANB　「ロンドンハーツ」
NTV　「行列のできる法律相談所」
NTV　「爆笑&ナイナイの誰か司会をして下さいスペシャル」
NTV　「明石家さんまの全世界版笑う大捜査線!!2」
TBS　「TOKIO!史上最大ドッキリウォーズ〜エピソードI」
C X　「間違っているのは誰だ　バッテン・チョイス!クイズ・ヘキサゴン」
ANB　日曜ワイド「高田純次の湯けむり美女グルメ倉敷瀬戸内ミステリーツアー」
NTV　「電波少年に毛が生えた〜最後の聖戦」
BS朝日　「鉄の馬 II」
NTV　「夜は別バラ　開店御礼!スペシャル」
ANB　日曜ワイド「徳光・純次の大江戸遊び人デビュー道楽若ダンナ珍道中」
　「第四回青春クッキング大賞X'masパーティー料理選手権」
KTV　FNS系列全国27局ネット特別番組「芸能人の芸能人による恋愛大辞典!」
TBS　「ハプニング大賞」
CTV　「ろみひ〜㊙履歴ショー超大物スター限定スペシャル!!」
TBS　「1億3千万人の大投稿我家の仰天ニュース大賞」

▸**2003年**

CTV　「一流芸能人御用達会員制高級クラブ王女様のお部屋」4
NTV　「どっちの料理ショー」
NTV　「ムチャ修行!」
NTV　「行列のできる法律相談所」
NTV　「1億人の大質問!?笑ってコラえて」
NTV　「速報!歌の大辞テン!!」
TBS　「夢の超豪華版!芸能界恋愛のカリスマ&恋の大バカ全員集合SP!」
TBS　「ブーケをねらえ!」
NTV　「トキワ荘」
NTV　「行列のできる法律相談所」
NTV　「おしゃれカンケイ」
C X　「FNS最高視聴率祭り電話でもらえる1000万円　国民のチャンスライン」
NTV　「行列のできる法律相談所　芸能人もトラブル満開!スペシャル」
TBS　「ガチンコ!史上最強のドッキリウォーズII!! 桜満開バカ全開SP」
ANB　「ナヌッ大人の社会見学 今どきのニッポンはこうなってんだスペシャル」
NTV　「踊る踊る踊る!さんま御殿!!スペシャル」
KTV　「いつでも笑みを!」
NTV　「遊ワク☆遊ビバ!」
C X　「クイズ!ヘキサゴン」
NTV　「メレンゲの気持ち」
NTV　「どっちの料理ショー」
ANB　「ロンドンハーツ」
THK　「日本メディアシステムカップ」
ANB　「ロンドンハーツ」

C X　「世界ゴッタ煮　偉人伝スペシャル」
ANB　「ぷらちなロンドンブーツ」
ANB　「おネプ!大明神1000人投げられなかったら即引退スペシャル」
ANB　「ぷらちなロンドンブーツ」
ANB　「ウッチャンナンチャンのこれでいいのだ英会話」
NTV　「恋のからから騒ぎスペシャル」
NTV　「ぐるぐるナインティンナイン」
ANB　「愛のエプロン　スペシャル」
ANB　「タモリ倶楽部」
ANB　「ぷらちなロンドンブーツ」
NTV　「伊東家の食卓」
NTV　「踊る!さんま御殿!!」
C X　火曜ワイドスペシャル「世紀末グルメ大戦争勃発!?伝説のごちそうさま決定戦」
NTV　「世界まる見え!テレビ特捜部」
NTV　スーパースペシャル「スター㊙お宝映像!世紀末最新版!ここまで見せちゃいますスペシャル」
NTV　「いけ年こい年世紀越えスペシャル2000−2001」

▸**2001年**

TBS　「噂のCFガール2001」
TBS　「ミュージックバトル!全国美人アナウンサー対抗超真剣歌の王女決定戦」
ANB　「ほんパラ!関口堂書店」
ANB　「天下を獲れ!お笑い第5世代　ガチンコ視聴率バトル」
KTV　「いつでも笑みを!」
NTV　「どっちの料理ショー」
NTV　スーパースペシャル「花の芸能界おしゃべりの大殿堂」
TBS　スーパーフライデー「嵐の芸能界!〜転落人生劇場〜21世紀大どんでん返しスペシャル」
TBS　「超オフレコ!全世界未確認生命体完全解明スペシャル」
CTV　日曜スペシャル「高田・久本・ビビアン最強の料理人を探せ!in上海」
YTV　「快傑えみちゃんねる」
T X　「スキヤキ!ロンドンブーツ大作戦」
YTV　「オールスターの皆様に芸能界の厳しさ教えますスペシャル」
CTV　日曜スペシャル「高田純次・大竹まこと・渡辺正行のオヤジ3人旅干物街道看板娘を探せ!」
NTV　「恋のから騒ぎ　ご卒業スペシャル」
TBS　「回復!スパスパ人間学'01春SPあなたの知らない本当の性格SP」
TBS　「めっけMON」
CTV　日曜スペシャル「イタリアで真剣勝負!!開店!梅辰どんぶり亭」
NTV　「どっちの料理ショー」
TBS　「アッコにおまかせ!」
CTV　「高田・久本・ビビアンの最強の料理人を探せ!2時間スペシャル」
ANB　「愛のエプロン 2」
C X　「メントレG」
KTV　「キビシイにもホドがある芸能界の掟仁義無きトークサバイバル」
NTV　スーパースペシャル「明石家さんま全世界版　笑う大捜査線!!」
C X　「東京ジモティー」
NTV　「ウルトラショップ」
TBS　「筋肉番付」
ANB　「緊急指令!これマジ!?世界のふしぎと戦うぞXマス!!スペシャル」
NTV　「総制作費30億!!日テレのオイシイ所ジョージが全て見せますスペシャル」
NTV　「20世紀のクイズ名場面そして今夜だけ大復活マジカル頭脳パワー21世紀芸能界NO. 1頭脳決定戦SP」
TBS　TBS開局50周年記念24時間テレビ「ファイトTV24〜やればできるさ〜」
THK　「スポーツ決定的瞬間2001〜わすれられない名場面から忘れてしまったあのシーンまで〜」
NTV　「ナイナイの皆さ〜んご一緒にバカヤロ〜スッキリ年越しスペシャル!!」

▸**2002年**

TBS　「クラッシュモンスター」
ANB　「親友・悪友・くされ縁!芸能界のあの話チクリまスペシャル!!」
NTV　「恋のから騒ぎ…大騒ぎスペシャル」
TBS　「全国美人アナ緊急出動テレビが伝えなかったウラ事情SP」

NTV 「大マジカル頭脳パワー あの有名人がこ～んなことまでしちゃうぞ!超(秘)(秘)(秘)SP!」
TBS 金曜テレビの星 「史上最強の悶絶熟女inハワイ」
TBS 「空前絶後の夢バトル!世紀の大対決!」
TBS 金曜テレビの星 「衝撃の映像クラッシュ'98総決算濃縮特大号!」
NBN 「上岡・高田・寛平 上岡マスターズ'98」
NTV 「所さんのアンナと純次でハワイ人になるのだ!!」

▶1999年

TBS 「世界の美女と美食を求めて!男3人ブラ珍お正月旅」
TBS 「噂のCFガール'99」
NTV 「電波少年」
CTV 「ろみひ～」
NTV 「メレンゲの気持ち」
ANB 「超過激!カップル直撃楽園グアム㊙ツアー」
NTV 「どっちの料理ショー」
ANB 「ぷらちなロンドンブーツSP祝!ドーンと月9進出全国(秘)ガサ入れ大捜査」
TBS 金曜テレビの星 「衝撃の映像クラッシュ'99 超過激新着特大号!」
NTV 「たけし・玉緒の超豪華スター伝説!!」
TBS 「オールスター感謝祭'99超豪華!クイズ決定版この春お待たせ特大号」
CTV 「灼熱!タイ王国で本日開店!!梅辰どんぶり亭」
C X 「笑っていいとも!」
NHKBS 「007魅力の秘密」
ANB 月曜ドラマイン「大同窓会!26作品全部見せます」
CTV 「夏休み直前!旅グルメ 高田・久本・ビビアン 爆笑中国」
CTV 「夏休み直前!旅グルメ 高田・久本・ビビアン 香港広州編」
CTV 「高田・久本・ビビアン最強の料理人を探せⅢ台湾激安うま屋台珍道中」
TBS 金曜テレビの星 「あの人に逢いたい!今だから全部話します」
TBS 「衝撃の映像クラッシュ AAA あなたを襲う真実の衝撃スペシャル」
ANB 「リングの魂」
NTV 日曜スペシャル「和田アキ子ご一行様!天国か地獄か爆笑!絶叫!タイツアー」
NTV 「11PM復活スペシャル伝説の怪物番組が今夜11回忌(秘)パーティー」
T X 「しもじま」
ANB 「ぷっすま」
TBS 金曜テレビの星 「完全復活スペシャル料理オンチからの大リベンジ」
TBS 「衝撃の映像クラッシュ AAA」
NTV 「ナイナイのどっちが勝つか!?NGハプニング合戦 生放送!!」
NTV 「ゆけ年!こい年!'99～'00」

▶2000年

CTV 正月特番「芸能人御用達高級サロン王女様のお部屋」
NBN 子供の日スペシャルゴルフマッチ「高田・笑瓶VS天才ジュニアゴルファー笑撃GOLF」
ANB 「2000年新春に豪打!!」
TBS 「噂のCFガール2000」
NTV 「速報!歌の大辞典テン!!」
NTV 「メレンゲの気持ち」
TBS 「関口宏の東京フレンドパークⅡ」
T X 「たけしの誰でもピカソ」
TBS 「回復!スパスパ人間学」
KTV 「いつでも笑みを」
NTV 「恋のから騒ぎ 大騒ぎスペシャル」
TBS 「オールスター感謝祭'00超豪華!クイズ決定版この春お待たせ特大号」
CTV 「ろみひ～」
ANB 「愛のエプロン」2
C X 「世界ゴッタ煮 偉人伝」
C X 「世界ゴッタ煮 偉人伝」
ANB 「ぷらちなロンドンブーツ」
T X 「ワールドビジネスサテライト」
C X 「世界ゴッタ煮 偉人伝」
C X 「世界ゴッタ煮 偉人伝」
TBS 「真実の感動超保存版20世紀最高峰!!黄金のベストソング2000」
C X 「世界ゴッタ煮 偉人伝」
NTV 日曜スペシャル「布施博・高田純次オジンライダーアメリカ大陸縦断」

TBS　「はなまるマーケット」
TBS　「オールスター感謝祭'97超豪華!クイズ決定版この春お待たせ特大号」
ANB　「完全特捜宣言!あなたに逢いたい」
NTV　「おしゃれカンケイ」
ANB　「所さんのこれアリなんじゃないの!」
CTV　「痛快大漁スペシャル!芸能人釣りバカバトル」
NTV　「ルックルックこんにちは」
T X　「クルマ天国らぶらぶドライブ」
C X　「上岡・ヒロミの花も嵐も」
TBS　金曜テレビの星「芸能人100人白書芸能人の芸能人による芸能人のためのランキングTV第4弾」
C X　「笑っていいとも!」
NTV　「おしゃれカンケイ」(未公開総集編)
NHK　「クイズ日本人の質問」
ANB　「超豪華オールスター大集合!!秋の人気番組対抗炎の熱血バトル'97」
TBS　「アッコにおまかせ!」
NTV　「大マジカル頭脳パワー　今まで見たことない!超おもしろ新クイズ&新ゲームがいっぱい!!」
TBS　「芸能界豪華列伝」
TBS　金曜テレビの星「衝撃の映像クラッシュ'97超緊迫濃縮特大号!」
TBS　「オールスター赤面申告ハプニング大賞第収穫超まつたけスペシャル」
TBS　「TOKIO　HEADZ!」
TBS　「'97住友VISA太平洋マスターズ　プロアマゴルフ」
NTV　「踊る!さんま御殿!!」
TBS　「オールスター感謝祭'97秋の新装スペシャル!!祝!クイズ賞金2億円」
TBS　「衝撃の映像クラッシュ'97総決算濃縮特大号!」
NTV　「第22回　お正月映画全部見せます」
NBN　「上岡・高田・寛平　上岡マスターズ'97おじさん達のゴルフトーナメント」
ABC　「対決スポーツ王国!!長野五輪直前緊急スペシャル」
NTV　「所さんのお正月はハワイで遊ぶだ!2」
TBS　「サヨナラ'97年感謝祭」

**▸1998年**

TBS　「噂のCMガール'98」
CTV　「梅辰どんぶり亭ハワイで勝負」
ANB　「全国高校生文化祭GP'98」
NTV　「進ぬ　電波少年」
CTV　「高田・久本・ビビアン　爆笑!中国の旅最強の料理人を探せ!!」
TBS　金曜テレビの星「ダンナに見せられないテレビ!激闘!芸能人妻VSシロ～ト妻これが隣の奥さん実態ですSP」
NTV　「だんトツ!!平成キング」
NTV　「おしゃれカンケイ」
NTV　「いろもん」
NTV　「マジカル頭脳パワー」
TBS　「世紀のスクープ!世界仰天三面記事2」
TBS　金曜テレビの星「衝撃の映像クラッシュ'98超過激濃縮特大号!」
YTV　「春のオールスター超ド忘れイライラスペシャル豪華版!」
CTV　「ろみひ～」
NTV　「大マジカル頭脳パワー 超おもしろさ最新クイズ&ゲームで楽しもうスペシャル!!」
TBS　「あの人に逢いたい6　1億2千万人総力調査リクエスト大会」
TBS　「特捜!芸能ポリスくん」
TBS　「ジャングルTV　タモリの法則」
ANB　「新題名のない音楽界」
NTV　「1億人の大質問　笑ってコラえて!」
NTV　「踊る!さんま御殿!!」
TBS　「オールスター感謝祭'98超豪華!クイズ決定版この春お待たせ特大号」
C X　「グアム島縦断サバイバルゴルフ」
CTV　日曜スペシャル「高田・久本・ビビアン最強の料理人を探せ!北京・香港・広州・台湾・横浜」
NTV　「どっちの料理ショー」
TBS　金曜テレビの星「衝撃の映像クラッシュ'98超過激濃縮特大号!」
NTV　「恋のから騒ぎ・大騒ぎスペシャル」
TBS　「オールスター感謝祭'98超豪華!クイズ決定版この秋お待たせ特大号」
ANB　「超豪華オールスター大集合!!秋の人気番組対抗炎の熱血バトル'98」

YTV 「ダウンタウンDXDX　100回突破大感謝祭!最初で最後の特別企画!」
NTV 「春だ!芸能界とことん見せちゃうウラのウラオールスター(秘)クイズ」
CTV 「TVじゃん!!」
TBS 「上岡龍太郎がズバリ」
TBS 「いい朝8時」
ANB 「LOVE'Sコンチェルト」
C X 「クイズ!歌うぞ音楽王」
NTV 「メレンゲの気持ち」
NTV 「嗚呼!バラ色の珍生!!」
YTV 「ダウンタウンDX」
TBS 金曜テレビの星「史上最強の熟女たちガマンできない人生相談」
NTV 「それ行け　キンキの大冒険」
TBS 「衝撃の映像クラッシュ'96超過激濃縮特大号!」
TBS 「オールスター感謝祭'96超豪華!クイズ決定版この春お待たせ特大号」
TBS 金曜テレビの星「プロ野球クイズの殿堂」
YTV 「ダウンタウンDXDXスーパー7　ここまで来ました!芸能界126人による史上最大のSP」
CTV 「TVじゃん」
NTV 「大マジカル頭脳パワー 視聴率の限界に挑戦!今夜しかみられない(秘)クイズスペシャル」
C X 「上岡・ヒロミの花も嵐も」
T X 「徳光和夫の情報スピリッツ」
NTV 「歌の大辞テン!!」
TBS 「'96住友VISAマスターズ・プロアマゴルフ」
TBS 「オールスター感謝祭'96超豪華!クイズ決定版この秋お待たせ特大号」
TBS 金曜テレビの星「史上最強の熟女たちガマンできない人生相談②」
C X 「上岡・ヒロミの花も嵐も」
NTV 「マジカル頭脳パワー!!家族みんなでお楽しみ　クリスマススペシャル」
TBS 「芸能界三大ファミリー上岡VS和田VSヒロミの仁義なき大バトル!!」
TBS 「世紀一瞬!衝撃の映像クラッシュ⑨」
NTV 「第21回!恒例!お正月映画全部見せます」
ANB 「おもしろニュースグランプリ」
CTV 「熱唱!おミズ系　イイ女グランプリ」2
NTV 「超豪華!史上最強ものまねバトル大賞」8
NTV 「緊急報告!所ジョージの正月はハワイで遊ぶだ!!」
ANB 「今夜は寝かせないぞ!年越しスペシャルカウントダウン1億2000万人の10時間生放送」

**▸1997年**

NTV 「平成あっぱれテレビ!!」
TBS 「初春!女の最終決戦!コギャルVSオバタリアン」
TBS 「新春 超豪華夢対決!世紀の!ザ・大激突Ⅱ勝つのはどっちだ!!」
TBS 「噂のCMガール'97」
ANB 「新春に豪打　プロゴルファー六人衆」パート8
CTV 「痛快!入れ食いバトル!?芸能界釣りバカバトル」
NTV 「大マジカル頭脳パワー 今年はコレが大流行!!初登場おもしろクイズで新年会スペシャル」
NTV 日曜スペシャル「激突マジカル大冒険　美女二人アメリカ西海岸の旅」
ANB 「アッコの泣かしたろか」
TBS 「アッコにおまかせ!」
TBS 金曜テレビの星「突撃訪問スターのお宅!100万円クイズで大パニック」
TBS 「お値段徹底比較!春のピンVSキリ絶品グルメ」
TBS 金曜テレビの星「芸能人100人白書芸能人の芸能人による芸能人のためのランキングTV第3弾」
TBS 「わいわいティータイム」
ANB 「所さんのこれアリなんじゃないの?」
TBS 金曜テレビの星「衝撃の映像クラッシュ'97超過激濃縮特大号!」
NTV 「大マジカル頭脳パワー2時間半スペシャル」
TBS 「驚天動地!ウンナンの世界から見た日本人」
C X 火曜ワイドスペシャル「熱唱カラオケ甲子園・春の選抜スペシャル」

NHK 「'95／96 秋冬ミラノコレクション」～1日目～
NHK 「'95／96 秋冬ミラノコレクション」～2日目～
TBS 「世界お宝ハンティング　勝負は目利き」
TBS 「'95プロアマ チャリティーゴルフ大会」
TBS 金曜テレビの星 「男も真っ青・すっごいオンナ大賞」
C X 火曜ワイドスペシャル「スター興奮生デート憧れのアノ有名人と夢の熱愛ツーショット」
TBS 金曜テレビの星 「タナボタスペシャル　世界の一発成金野郎一獲千金野郎」
TBS 「上岡龍太郎がズバリ!」(元OL風俗嬢50人)
NTV 「高田純次の南アフリカまるごとオヤジ旅」
ANB 「上沼恵美子のおしゃべりクッキング」
TBS 「上岡龍太郎がズバリ」(めざせスーパー名子役50人)
NHK衛星第2 「BSジャズ喫茶」
KTV 「快傑えみちゃんねる」
NTV 「THE　夜もヒッパレ」
C X 「なにがなんでも嫁が欲しい!せっぱつまり男20人!!史上最大の嫁取り大作戦」
TBS 「オールスター感謝祭'95超豪華!クイズ決定版この秋お待たせ特大号」
TBS 「世紀の一瞬!衝撃の映像クラッシュ⑥」
YTV 「ダウンタウンDXDX芸能界失礼致しましたスペシャル!秋の祭典 第4弾」
YTV 「秋のオールスター超ド忘れイライラSP!スーパークイズここまで出てるのに～!!」
NTV 「大マジカル頭脳パワー!20世紀クイズ番組史上最強!最高!最新スペシャル」
NTV 「スター㊙プライバシー大暴露SP!芸能界のウラのウラ!!特ダネクイズ決定版Ⅵ」
C X 「笑っていいとも!」
TBS 金曜テレビの星 「女のパワーさく裂・男もまっ青スッゴイ女大賞　②」
ANB 「チャンネル99」
TBS 金曜テレビの星 「即興料理スペシャル料理オンチからの脱出大作戦」
TBS 「衝撃の映像クラッシュ'95総決算濃縮特大号!」
NTV 「第20回　お正月映画全部見せます」
NTV 「1995年クイズ番組No.1マジカル頭脳パワー!!超(秘)の最新型クイズがいっぱいSP!!」
TBS 「人間関係総崩れ特番年忘れ!チクリの嵐!芸能界禁断ランキング'95アッコデミー大賞」
CTV 「おミズ系イイ女グランプリ」
CTV 「高田純次VS大竹まこと舌戦笑撃ゴルフマッチ」
NTV 「裏番組をブッ飛ばせ!!'95大晦日スペシャル」

**▸1996年**

NTV 「平成あっぱれテレビ!」
C X 「'96新春イントロ大作戦」
C X 「'96新春かくし芸大会」
TBS 「新春超豪華夢対決世紀のザ・大激突勝つのはどっちだ」
TBS 「第8回　噂のCMガール'96」
C X 「史上最速1000問対決!クイズで敵をぶっつぶせ!巨大クイズスタジアム"CRASH"」
NTV 「新春!芸能界とことん見せちゃうウラのウラオールスター㊙クイズ」
CTV 「TVジャン!!小園総研」
NTV 「ウリウリ!ナリナリ!!」
ANB 「ばん・ばん・ばん」
TBS 金曜テレビの星 「即興料理スペシャル料理オンチからの脱出大作戦!Part2!」
TBS 金曜テレビの星 「男もまっ青!スッゴイ女大賞3」
TBS 金曜テレビの星 「スターが自ら考え仕掛けた芸能界いたずら王選手権」
TBS 「ジャングルTV　タモリの法則」
NTV 「春は超人気番組大集合 マジカル頭脳 まる見え 特ホウ王国 ショウバイ笑ってヨロシク バラ珍 ウリナリもヒッパレ!」

T X 「トミーズGESO」
NTV 「春は超仰天㊙美女祭り世界まる見え!テレビ特捜部!究極の特別版」
TBS 「世紀の一瞬!衝撃の映像クラッシュ!!」
TBS 「世界の天才料理人対決超究極指令グルメ大戦」
TBS 「オールスター感謝祭'94超豪華!クイズ決定版この春お待たせ特大号」
TBS 「JNN28局総力決戦!新人美人アナここまで過激に日本一選手権!」
NTV 「列島くらべてグルメ!!」
C X 「ラスタとんねるず」
TBS 金曜テレビの星 「世界一対決!ギネスおもしろ七番勝負!!」
C X 火曜ワイドスペシャル「全日本!変わりダネお宿大賞!!」
NTV 「ダウンタウン DX」
C X 「笑っていいとも!3,000回突入記念ウィーク」
NTV 「列島くらべてグルメ!!」
TBS 「アッコにおまかせ!」
TBS 金曜テレビの星 「大公開 芸能界㊙お遊びマップこんなことやってんのスペシャル」
C X 金曜ファミリーランド「昼間のパパはちょっと違う」
C X 花王ファミリースペシャル「アッコ&上岡 こだわり歌のベストテン」
C X 火曜ワイドスペシャル「全日本!変わりダネ夫婦大賞!!2」
NTV 日曜スペシャル「時代劇バンザイ!」
TBS 「世紀の一瞬!衝撃の映像クラッシュ!!④」
TBS 「ジャングルTV タモリの法則」
NTV 「'94秋 スター直撃!OHアナクイズ」
NTV 「時代劇バンザイ!四十七人の刺客インヴェネチア」
T X 「ニョキニョキ 植物天国」
TBS 「オールスター感謝祭'94超豪華!クイズ決定版この秋お待たせ特大号」
NTV 「第19回 お正月映画全部見せます」
TBS 「'94芸能界オールスター人間関係総崩れ特番!無礼講にて大忘年会!」
TBS 「39時間テレビ」
NTV 「ダウンタウンの裏番組をブッ飛ばせ!!大晦日スペシャル」

### ▶1995年

NTV 「平成あっぱれテレビ!」
C X 元旦感動スペシャル!「オールスターマラソン&100人駅伝」
TBS あなたは何曲歌えるかスペシャル!「史上初!1億2千万人のカラオケ新年会!」
TBS 「噂のCMガール新春大博覧会'95」
TBS 「ド〜ンと温泉お年玉 湯けむり初体験大賞」
CTV 「世界の動物(秘)かくし芸」
YTV 「新春!芸能界うらのうらオールスター(秘)情報 特ネタクイズ決定版」
TBS 金曜テレビの星 「憧れのスターが突然あなたの職場に!自宅に感動記念日'95ファン感謝デー」
C X 「プロ野球オールスター珍プレーゴルフ選手権 夢の対決」
ANB 「まっ昼ま王!!食い放題?高田純次(秘)夜遊び2児のパパ」
TBS 「上岡龍太郎がズバリ!」(元スチュワーデス50人がスタジオに集合)
TBS 「もうひとつの名勝負プロ野球ウラ技スペシャルぴったし!コンチンカン」
C X 木曜ファミリーランド「輝け第2回お笑いスクープ 三面記事大賞 奇妙なホントの話?」
ANB 「東西対抗チャリティーゴルフ」
NTV 「恋のから騒ぎ」
TBS 「世紀の一瞬!衝撃の映像クラッシュ!!⑤」
TBS 「オールスター感謝祭'95超豪華クイズ決定版この春お待たせ特大号」
C X 「芸能界ぶったまげリクエスト ここまでヤル!? Part.Ⅵ」
TBS 「春の久米宏スペシャル カン・カンぴったし'95」
TBS 「オールスター赤面申告ハプニング大賞 95春 桜乱れ咲きスペシャル」
TBS 「あなたは何曲歌えるかスペシャル!1億2千万人のカラオケ春祭り」
TBS 金曜テレビの星 「憧れのスターが突然あなたの職場に!自宅に感動記念日'95ファン感謝デー第2章」
TBS 金曜テレビの星 「世紀末映像スペシャル★これが驚異の超能力だ」

C X 「ゴルフ天国と地獄」
TBS 「オールスター感謝祭'93 超豪華!クイズ決定版この春お待たせ特大号」
C X 金曜ファミリーランド「クロスワードウォーズ」
NTV 「所さんのお騒がせデス」
TBS 「オールスター赤面申告人気番組のハプニング徹底公開」
NTV 日本テレビ開局40年企画「ズームイン!夜!」
NTV 木曜スペシャル「憧れのビッグスターに挑戦?!爆笑芸大会」
C X 金曜ファミリーランド「絶叫!豪華VS激安旅行〜東南アジア体験記〜」
NHK教育 「テレビ絵本」
TBS 「ムーブ・テレビ 進学塾」
C X 金曜ファミリーランド「ギャグ当てクイズいいオチつけてね!」
TBS 「笑ってオーレ!!渡る世間はギャグばかり」
C X 金曜ファミリーランド「芸能人グルメ場外乱闘 鶴瓶・純次の全国屋台合戦!!」
TBS 金曜テレビの星 「ダウンタウンいたーいスペシャルアジアの国からコニャニャチワ!!」
C X 金曜ファミリーランド「世界で一番くだらないクイズ!!」
C X 火曜ワイドスペシャル「天才ジミーのオールスター初体験物語」
NTV 「24時間テレビ16」
NTV 「関口宏のびっくりトーク・ハトがでますよ!」
ANB 「トミーズのきばらなアカン!」
TBS 金曜テレビの星 「驚き奇々怪々!おもしろ世界の珍人類!!」
TBS 「世紀の一瞬!衝撃の映像クラッシュ」
ANB 「'93バラしてゴメンネスペシャル クイズ芸能人・悪ガキ大将」
TBS 「超豪華テレビ史決定版ランキング初公開!高視聴率番組ベスト200」
NTV 「ウンナン宇宙征服宣言 暴走ママチャリ540キロ京都に着けるか生放送!!」
C X 「コケッコ!?」
TBS 「TVジェネレーション」
TBS 金曜テレビの星 「オールスター直撃 究極の㊙大指令!!」
C X 「すべて見せます!! 興奮! Jリーグ大解剖」
C X 金曜ファミリーランド「日本フシギ!なんじゃこりゃホイ」
TBS 「オールスター感謝祭'93超豪華!クイズ決定版この秋お待たせ特大号」
C X 火曜ワイドスペシャル「超豪華オールスター美女だらけの温泉天国スペシャルパート2」
NTV 「第18回 お正月映画全部見せます」
NTV 「巨人軍選手会 チャリティゴルフ」
NTV 「日本テレビ開局40年スーパー電波バザール年越しジャンボ同窓会」
TBS 「'93芸能界総決算!!コレがホントの大暴露大会 オールスター大忘年会」

### ▸1994年

NTV 大新年会スペシャル「7時間おめでとう生放送 平成あっぱれテレビ!!」
TBS 正月特別番組「湯けむりドッキリ!日本縦断グルメ&温泉大旅行」
TBS 「徹底Q明クイズ逸品珍品これが世界の家宝だ」
TBS 「史上最大の作戦'94超ウルトラいたずら大計画」
TBS 「世界が土俵!!爆笑スター対決お遊びワールドカップ'94」
TBS 「噂のCMガール新春大博覧会'94」
C X 土曜スペシャル「プロ野球珍プレーゴルフ選手権」
NTV 「対戦版!どんなMONだい!!」
TBS 金曜テレビの星 「突撃㊙スターの使用済私物オークションバトル!」
C X 火曜ワイドスペシャル「全日本!変わりダネ夫婦大賞!!」
C X 金曜ファミリーランド「超激安ショップ世界爆笑珍道中」
NTV 木曜スペシャル「クイズ まるだし!ザ・芸能界」
TBS 「クイズおまかせベースボール爆笑オールスター戦」
ANB 「ゴルフ東西対抗チャリティ競技会」
ANB 「さんまのナンでもダービー超豪華スペシャル春のグランプリ」

TBS　金曜テレビの星「珍味満載!オールスター料理グランプリ」
NTV「クイズどんなMONだい」
TBS　金曜テレビの星「噂の真相」
CTV「ヴィヴィアン」
NTV「EXテレビ」
ANB「君といつまでも」
C X　金曜ファミリーランド「赤点!満点!笑いの採点!」
NTV「巨人×大洋戦」(副音声ゲスト)
C X　金曜ファミリーランド「第3回爆笑!オールスター芸能界クイズ王決定戦スペシャル」
ANB「Ah!SO」
TBS　金曜テレビの星「IQ天才塾 II あなたの頭をズバリ判定」
NTV「24時間テレビ」(第15回)
ANB「邦子·徹のビデオあなたが主役　番組まつりスペシャル」
TBS「オールスター感謝祭'92　超豪華!クイズ決定版この秋お待たせ特大号」
NTV「大マジカル頭脳パワー!!スペシャルV」
NTV「マジカル頭脳パワー!!紅白あるなしスペシャル」
NTV「目撃!世界の超常現象今夜あなたの常識がくつがえる!?」
TBS「バナナ大使」
TBS「ムーブ·関口宏の東京フレンド·パーク」
TBS「オールスター大激突!家族そろって歌合戦·やっぱりうちが日本一」
NTV「今夜も一生けん命」
TBS「クイズ!当たって25%スペシャル」
ANB「高田純次の史上最強のマシンレース」
NTV　JTカルチャースペシャル「歴史上の偉人に遭遇!トマトの国の探検隊」
TBS　金曜テレビの星「三面記事タイムスリップ昔の日本ハチャメチャ事件史!」
C X　金曜ファミリーランド「超豪華オールスター美女だらけの温泉天国スペシャル」
ANB「第2回飛び出せ日本男児 II」
TBS　金曜テレビの星「1億2000万人の流行語大賞'92」
C X「プロ野球オールスター珍プレーゴルフ選手権」
TBS「クリスマス特別企画!ダイナマイトクイズビンゴでアロハ」
C X　年末特別番組「'92世界の三面記事大賞」
NTV「第17回お正月映画全部見せます」
TBS「噂の真相　パート2」
NTV「芸能人ザッツ宴会テイメントー大忘年会ー」
TBS「元旦まで感動生放送史上最大39時間テレビ」

**▶1993年**

TBS　正月特別番組「日本縦断!温泉イタズラ大旅行!!」
TBS「新春初公開!スターの愛車大図鑑」
TBS「新春オールスター激突クイズ 当たってくだけろ!」
TBS　初夢スペシャル「逸見·純次の大予測! どうなるニッポン!どうなる人類!どうなる地球!」
TBS「'93噂のCMガール新春大博覧会」
C X「プロ野球オールスター珍プレーゴルフ選手権」
TBS　金曜テレビの星「三面記事タイムスリップ昔の日本はハチャメチャ事件史!!」
TBS「第16回大橋巨泉ゴルフトーナメント」
HTB「白い恋人!雪中大学バトルロイヤル」
TBS　金曜テレビの星「世紀の一瞬!衝撃の映像クラッシュ!!」
C X　火曜ワイドスペシャル「芸能界ぶったまげリクエストここまでやるPARTⅢ」
TBS　金曜テレビの星「IQ天才塾 Ⅲ」
TBS　金曜テレビの星「オールスター直撃!!究極の㊙大指令」
ANB「女子学生100人㊙体験授業」
TBS「高田純次の爆笑ベースボールクイズ」
NTV「ダウンタウンスペシャル　男ットコ前やなー!PART4」
NTV　究極の春スペシャル「ぐるっと日本グルメ旅　究極の春スペシャル!!」

CTV 「ヴィヴィアン」
TBS 「噂のCMガール」
NTV 24時間テレビ「愛は地球を救う」(第14回)
NTV 木曜スペシャル「爆笑!㊙新どっきり大作戦」
TBS 金曜テレビの星 「純次・鶴瓶の家族対抗お茶の間甲子園」
C X 花王ファミリースペシャル「高田純次順風漫歩」
TBS 「オールスター感謝祭'91クイズ決定版」
TBS 「秋のオールスター激突クイズ 当たってくだけろ!」
ANB 「和田アキ子アワー」
TBS 「バナナ大使」
NTV JTB感動スペシャル「クイズハワイ物語」
SBC 「'91東京モーターショー」
ANB 「史上最大オールスタークイズ大賞」
T X 「岡本綾子のスーパーゴルフスペシャル」
NTV 「1991所・田代のアッカンデミー賞」
NTV 「第16回 お正月映画全部見せます」
NTV 「ザ・ラスベガス」
C X 花王ファミリー劇場「もっと知りたい逸見サン」
NTV 「芸能人ザッツ宴会・テイメント大忘年会」
TBS 金曜テレビの星 「'91噂の真相大追跡」

**▶1992年**

NTV 「平成あっぱれテレビ博」
C X 「逸見の芸能人の秘密全部教えます」
NTV 「コロッケ&美川のクイズおだまり!ザ・芸能界」
ANB 「新年早々スポーツざんまいビートたけしの熱闘!夢の対決!!」
C X 「カルトQ正月スペシャル」
TBS 「新春オールスター激突クイズ 当たってくだけろ!」
TBS 「'92噂のCMガール新春大博覧会」
TBS 「逸見・純次の'92どうなるニッポン100大予測!!」
TBS 金曜テレビの星 「大感激! 何を隠そう私はあなたの大ファンでした大賞」
ANB 「スゴイじゃありませんか!これが本当の世界一ビデオあなたが主役大賞決定」
NTV 「大マジカル頭脳パワー!!スペシャルⅣ」
TBS 千代の富士スペシャル「史上最強の横綱・きょう涙の断髪式!!」
TBS 金曜テレビの星 「全日本花嫁選手権」
NTV JTB感動スペシャル「クイズ・スペイン物語」
TBS 金曜テレビの星「花のデビュースペシャル」
NTV 「芸能人ゴルフ珍プレー好プレー番組対抗チャリティーPR合戦」
TBS 「クイズ当たって25%」
NTV 木曜スペシャル20周年記念「驚異と爆笑の決定版初公開・全部見せますTV史」
NTV 「知ってるつもり」
ANB 「さくらキャンペーン2 スペシャル」
TBS 金曜テレビの星 「春のオールスター激突クイズ 当たってくだけろPartⅧ」
NTV 「春祭り!ハプニング㊙NG大賞 第6弾」
NTV 「ザ・対決スペシャル③」
NTV 「うまいもの生中継列島グルメ春の総決算」
TBS 「オールスター感謝祭'92超豪華!クイズ決定版この春お待たせ特大号」
C X 「爆笑!オールスター芸能界クイズ王決定戦スペシャル　Part2」
ANB さくらキャンペーン「スターおすすめ!爆笑ベストテン」
C X 「カモナマイハウス」
C X 花王ファミリースペシャル「あの主役たちは今!?」
NTV 「いつみても波乱万丈」
TBS 金曜テレビの星 「IQ天才塾」
C X 金曜ファミリーランド「今夜爆笑'92すべて見せますものまね王座スペシャルワイド版」

AND　水曜スーパーテレビ「全日本こだわり人間大集合」
NTV　土曜スーパーテレビ「THE　TAIKETSU」
NTV　土曜スーパーテレビ「オールスターデビューの祭典」
NTV「番組対抗オールスタークイズ」
ANB　水曜スーパーテレビ「ザ・おふろはだか天国ふるさと紀行」
NTV　土曜スーパーテレビ「今夜決定!想い出のドラマ大賞」
TBS「'90ミリオンカップ2&4SUZUKA全日本F3000選手権 第1戦」
TBS　金曜スペシャル「噂のCMガール博覧会」
TBS「いい旅日本」
TBS　週刊ワニテレビ「見栄講座」
NTV「24時間テレビ」(第13回)
TBS「高田純次の涙と爆笑の鈴鹿8耐挑戦記　PartⅡ」
NTV　土曜スーパーテレビ「思い出のドラマ大賞 Ⅱ」
TBS「鈴鹿グレートF3000」
ANB　水曜スーパーテレビ「超魔力 Ⅲ」
NTV「日本テレビ番組祭り」
NTV「㊙ハプニング大賞 第2弾」
NTV「マジカル頭脳パワー」
ANB「Eev」
NTV　土曜スーパースペシャル「思い出の名曲特集」
NTV「夜も一生けんめい」
TBS「日本作曲家大賞10年祭」
TBS　金曜テレビの星「秋のオールスター激突クイズ 当たってくだけろ!」
TBS「ミリオンカードカップレースファイナルラウンド鈴鹿・90全日本3000シリーズ最終戦」
TBS　金曜テレビの星「対決!小学生クイズ選手権」
TBS　金曜テレビの星「緊急取材!芸能人大追跡」
TBS　金曜スペシャル「いかす競馬天国」
NTV　木曜スペシャル「これが決定版・爆笑珍プレー好プレー日米プロ野球'09」
NTV「第15回　お正月映画全部見せます」
TBS「所ジョージのオールスター自動車大賞」
ANB「衝撃!笑撃ワールドニュースクイズ'90」
NTV「第2回スター家族対抗爆笑どっきり大賞」
C X「鶴太郎&井森のおめでた夫婦」
NTV「純次・ダウンタウンのきよしこの夜」
NTV「クリスマスの夜に贈る"世界の恋愛"おもしろグランプリ!」
NTV「芸能人ザッツ宴会テイメント」
C X「プロ野球オールスター珍プレーゴルフ選手権」
NTV「1990年　所・田代のアッカデミー大賞」
NHK「紅白歌合戦」

▶1991年

NTV「平成あっぱれテレビ博」
C X「桃子・井森のイターイお正月!」
TBS「春のオールスター激突クイズ 当たってくだけろ!Ⅳ」
TBS「噂のCMガール新春大博覧会」
TBS「3時にあいましょう」
T X「D'sドライビングストーリー」
TBS　金曜テレビの星「緊急取材　芸能人大追跡」
TBS　金曜テレビの星「ウルトラサバイバル合コンバスツアー」
C X「丸井パーソナルカウントダウン」
HTV「雪まつりバラエティスペシャル」
TBS　金曜テレビの星「一攫千金」
ANB「超魔力 Ⅳスペシャル　大自然超越への招待」
TBS「春のオールスター激突クイズ 当たってくだけろ!」
TBS「大爆笑!そっくり大賞 日本一②」
NTV　水曜スペシャル「オールスター東西対抗大笑いものまね大賞」
ANB　水曜スーパーキャスト「大追跡!あの懐かしのアイドルスターは今…」
NTV「いつみても波瀾万丈」
TBS「オールスター料理グランプリ」
ANB「高田純次の面白行列大賞」
TBS「'91インディ500マイルレース」
TBS　金曜テレビの星「スクープ噂の真相!」
NTV「ザ・対決!」

## スペシャル・バラエティ番組

▶1987年

NTV　木曜スペシャル「世界動物ビックリ大賞」
NTV　「びっくり地球人」
NTV　「ぶらり日本名作の旅」
ANB　「カリブ面白クイズ」
NTV　「24時間始まるまで待てない」
MBS　「これが世紀の珍実験スペシャル」
NTV　木曜スペシャル「ホラー映画大会」
KTV　「スター御勝手対談」
NTV　「EXテレビ（モーターショー）」
C X　「夢工場スペシャル」
NTV　「第12回　お正月映画全部見せます」

▶1988年

NTV　木曜スペシャル「世界動物ビックリ大賞」
HTV　「札幌雪まつり」
C X　「春!日本再発見の旅」
ANB　「徹子の部屋」
CBC　「そこが知りたい」
NTV　「ワールドスタークイズ」
NTV　「オールスター夢の球宴」
NTV　「欽きらリン」
NTV　木曜スペシャル「NG大賞」
NTV　「世界ビックリスペシャル」
NTV　「タモリのいたずら大全集」
NTV　「第13回 お正月映画全部見せます」
C X　「ミス・ミスコンテスト」
ANB　「CNNニュースクイズ」
TBS　年末スペシャル「'88そんなこんな」
C X　「CM30年史」
ANB　「CNN特番」

▶1989年

NTV　木曜スペシャル「動物びっくり大賞」
HTV　「札幌雪まつり」
ANB　「たけしのスポーツ大将 新春超豪華スペシャル」
NTV　「オールスター夢の球宴」
TBS　「週刊ワニテレビ」
NTV　木曜スペシャル「怪奇特集」
TBS　金曜スペシャル「高田純次の鈴鹿8耐に本気で挑戦」
ANB　「マジック特番」
TBS　「ミール特番」
TBS　「そんなこんなの180分」
NTV　「番組対抗クイズ」
NTV　「純ちゃんのDo迫力」
TBS　「ザ・ベストテン スペシャル」
NTV　「PRスポット大賞」
C X　「笑っていいとも!」
ANB　水曜スーパーテレビ「ザ・喜怒哀楽!究極の!プッツン大賞!」
TBS　「気ままにいい夜」
NTV　「60分放し飼い（あっ!）」
NTV　「第14回 お正月映画全部見せます」
NTV　「'89プロ野球・おもしろ総決算!」
NTV　「不眠不休のデスマッチ5時間10分笑えますか!」

▶1990年

NTV　「平成あっぱれテレビ博」
TBS　「新春オールスター激突クイズ 当たってくだけろ!」
TBS　「時間ですよスペシャルクイズ」
TBS　週刊ワニテレビ「笑撃・日本人!おかしなおかしな神経質君大集合」
NTV　木曜スペシャル「世界動物ビックリ大賞」
ANB　水曜スーパーテレビ「爆笑大報告!懐かしのスター大追跡」
ANB　「超魔力 II」
C X　「いただきます」
HTV　「満開! 雪の華 HOKKAIDO」
C X　金曜おもしろバラエティー「面白人間統計学」
NTV　「60分放し飼い爆笑問題」
TBS　「快傑黄金時間帯」
NTV　土曜スーパースペシャル「TV制作会社就職試験」
ANB　水曜スーパー「懐かしのスター大追跡」
T X　「キラ」
T X　「ききわけのない悪魔」
TBS　「所印の車はえらい!」
NTV　土曜スーパーテレビ「生撮り、超爆笑、超激怒いやがらせ大賞」
TBS　「春のオールスター激突クイズ クイズ当たってくだけろ!」

TBS 「男3人ラブ珍ゲーム旅」
TVO 「ギャルネットTV」

▸2001年
BS-i 双方向ゲームパーク「押すとワールド」
NTV ZZZ「あんたにグラッツェ!」
BS-i 「A side B」
C X 「クイズ!目からウロコ」
中京TV 「P·S」
C X わけありバラエティー「みんなのヒミツ!」

▸2002年
T X 「爆笑問題の開け!記憶の扉」
T X 「小倉·高田の55BOYS」
NTV 「あんグラ☆NOW!」

▸2003年
TBS 「ぴったんこカンカン」(準レギュラー)
NTV 「遊ワク☆遊ビバ!」

▸2004年

▸2005年

▸2006年
KTV 「ベリーベリーサタデー!」
BSフジ 「グラドル女学院」

▸2007年
TVK 「ファースト クラス(ワンダフルワールド)」
C X 「スリルな夜 イケメン合衆国」

▸2008年
NTV 「AKB1じ59ふん!」
NTV 「週刊オリラジ経済白書」
NTV 「AKB0じ59ふん!」
YTV 「情報ライブ ミヤネ屋」(高田タクシー観光)
C X 「トキめけ! ウィークワンダー」

▸2009年
YTV 「愛の修羅バラ!」
NTV 「魔女たちの22時」
NHK 「地頭クイズ ソクラテスの人事」
TBS 「笑撃! ワンフレーズ!」

▸2010年
C X 「㈱世界衝撃映像社」

▸2011年
YTV 「クギズケ!」
TBS 「ファミ☆ピュン」
TBS 「海老名さん家の茶ぶ台」
BS12 「アジアHOTプレス!」

▸2012年
BSジャパン 「高田純次の年金生活」
BS12 「高田純次のアジアぷらぷら」

▸2013年
CTV 「PS三世」

▸2014年

▸2015年
CTV 「PS純金(ゴールド)」
ANB 「じゅん散歩」
BS12 「高田純次のセカイぷらぷら」

▸2016年

▸2017年

▸2018年
NHK·Eテレ 「世界の哲学者に人生相談」

▸2019年
ANB 「日本全国 ごちそう散歩」(ナレーション)
NHK·Eテレ 「世界の哲学者に人生相談」

▸2020年
NHK·Eテレ 「世界の哲学者に人生相談」

▸2021年

▸2022年
ANB 「午後もじゅん散歩」

▸2023年

# 芸歴

## レギュラー

▸1980年
C X 「笑ってる場合ですよ!」

▸1982年
C X 「笑っていいとも!」

▸1984年
FTB 「いやはやなんとも金曜日」
HTB 「派手～ずナイト」

▸1985年
NTV 「天才たけしの元気が出るテレビ!!」
ANB 「クイズ　ヒントでピント」

▸1986年
C X 「純ちゃんのごぶサタデー」
NTV 「11PM」
MBS 「純次&知佳 歌の新婚アイランド」
ANB 「純ちゃん郁恵の自慢じゃないけど」
TBS 「世界ふしぎ発見!」

▸1987年
NTV 「みんな変わりもの」
ANB 「パオパオチャンネル」

▸1988年
NTV 「クイズ世界はSHOW by ショーバイ!!」

▸1989年
TBS 「ギミアぶれいく」
NTV 「イモリ帝国」
C X 「旅はwith遊」
NTV 「LIVE 笑 ME」
TBS 「いきなり! クライマックス」
TBS 「音楽派トゥギャザー」

▸1990年
TBS 「極楽 ベストテン」
ANB 「クイズ面白TV」
TBS 「超青春太陽族」
T X 「いきなりHOW話遊!!」

▸1991年
TBS 「高田純次のこれで来週も幸せです」
T X 「クイズ! それは職業秘密です」
ANB 「クイズ! その時どうした!!」

▸1992年
ANB 「アッコ·純次の平成TV辞典 3匹の子ブタ」
ANB 「無敵なカップル!」
NTV 「快快!高田病院へ行こう」
TBS 「テレビ近未来研究所」
NTV 「大相似形テレビ!!」

▸1993年
TBS 「ARIGA−10」
T X 「ZAPP　ZONE」
TBS 「3丁目9番地」
TBS 「どうぶつ奇想天外!」

▸1994年
NTV 「新装開店!SHOW by ショーバイ!!」
TBS 「純·メッキ」
TBS 「敷2礼2」
CTV 「P. S. 愛してる!」

▸1995年
NTV 「新装開店! SHOW by ショーバイ2」
NTV 「超·天才たけしの元気が出るテレビ!!」

▸1996年
BSハイビジョン放送「ゴルフ達人倶楽部」
NTV 「モンキーパーティー」
ANB 「大発見!恐怖の法則」
TBS 「バリキン7　賢者の戦略」

▸1997年
TBS 「快傑熟女!心配ご無用」
TBS 「男3人ブラ珍クイズ旅」

▸1998年
T X 「金子柱憲·高田純次　ゴルフの王道」
TBS 「男3人ムリ珍クイズ旅」

▸1999年
TBS 「男3人ワク珍クイズ旅」
TBS 「ガチンコ!」
ANB 「稲妻! ロンドンハーツ」
TBS 「男3人ラブ珍ハント旅」

▸2000年
TBS 「大好き! 東京ゲスト10」

# 高田《たかだ》 純次《じゅんじ》

**略歴**

1947年、東京生まれ。東京デザイナー学院卒業。71年に「自由劇場」の研究生となるが、1年後退団しイッセー尾形氏らと劇団を結成。その後4年間サラリーマン生活をし、'77年に劇団「東京乾電池」に参加。1989年に独立し㈱テイクワン・オフィスを設立。

**現在出演中の作品**

## テレビ

ANB 「じゅん散歩」 月~金 9:55~10:25 (2015年~)
ANB 「午後もじゅん散歩」 金曜日 13:54~14:52(2022年~)
CTV 「PS純金(ゴールド)」 金曜日 19:00~19:56(2015年~)
CTV·YTV「上沼·高田のクギズケ!」 日曜日 11:40~12:35(2011年~)

## ラジオ

QR 「純次と直樹」 日曜日 17:00~17:25(2017年~)

## CM

「モデルナ」モデルナ·ジャパン(株) 2023年5月~

## 映画

「ホームカミング」 2011年3月12日公開

## 本

「適当日記」ダイヤモンド社 2008年 1月発売
「高田純次のテキトー格言」KADOKAWA 2016年 4月発売
「じゅん散歩」実業之日本社 2016年 5月発売
「50歳を過ぎたら高田純次のように生きよう」主婦の友社 2022年4月発売

## CD

「笑ウせえるすまんNEW」日本コロムビア 2017年 5月発売

## DVD

「高田純次のセカイぷらぷら ハワイをぷらぷら編」ポニーキャニオン
2018年 3月発売
「高田純次のセカイぷらぷら サンディエゴをぷらぷら編」ポニーキャニオン
2018年 3月発売

# 高田純次全仕事

天狗の面へ

「今まで立ててくれて
ありがとう。
次回は
ひょっとこにするよ」

**最後の適当日記**（仮）

2024年1月16日　第1刷発行
2024年4月4日　第2刷発行

著　者——高田純次
発行所——ダイヤモンド社
〒150-8409　東京都渋谷区神宮前6-12-17
https://www.diamond.co.jp/
電話／03-5778-7235（編集）　03-5778-7240（販売）

制作協力——テイクワン・オフィス
企画・構成—須貝聡
装丁・本文デザイン—松昭教（ブックウォール）
写真撮影——下村しのぶ
ヘアメイク——久慈真史
製作進行——ダイヤモンド・グラフィック社
印刷————勇進印刷
製本————本間製本
編集担当——中鉢比呂也


ISBN 978-4-478-11772-9

Printed in Japan